声の文化を楽しむ

朗読のすすめ

好本 惠 著

日外アソシエーツ

装丁：赤田 麻衣子

はじめに

現在、朗読は学校や図書館、カルチャースクールなどで盛んにおこなわれています。趣味として朗読に取り組んでいる人や、図書館や教育の場で、朗読ボランティアをなさっている人もいます。二〇一一年以降は、ラジオやテレビなどのメディアでも朗読がたびたび取り上げられるようになりました。また、朗読や音読が脳の活性化につながるという研究もすすめられています。

このように注目が集まるなかで、健康にもよい朗読をしてみたいと思いつつも、どう始めてよいかわからない人も多いと思います。朗読にどのような楽しさや意味があるのか、朗読に方法論などあるのだろうかと考える人もいるかもしれません。

私はアナウンサーとして長く放送などで声を出してきました。気がつくと、もう四〇年以上になります。どうすればわかりやすい読みができるのか、聞き手の心に届く朗読とはなにか、作品の世界をどうやって表現すればよいのかを考えてきました。また、大学や文化センターなどの朗読クラスも続いています。そうした経験をいかして、朗読についての指南書を書くように編集担当の方からご依頼をいただきました。

しかし、この本は、朗読の指南書というよりは、長年朗読をしてきた者の一人として、朗読の魅力をお伝えしたいという思いで書いたものです。第一章は声を出して読むときの基本です。第二章は読み聞かせや朗読を始めたいと思っている人に、第三章はすでに趣味や仕事で朗読に携わっている人に、それぞれ参考になればと思います。そして、第四章から第八章までは、日常生活のなかで朗読を楽しむさまざまな方法を、体験談もまじえて提案しています。

朗読の楽しさとして最初にあげられるのは、作品に近づけることです。むずかしく感じられる文豪の大作でも、声に出して読んでいるうちに特別の親しみがわいてきます。朗読しようと作品に向き合うと黙読では得られなかったさまざまな発見があり、より深く読むことができます。理解をすすめるために作品や作者ゆかりの土地を歩き、作家の愛した食を味わいながら旅をするのも興味深いものです。さらに、聞き手のまえで朗読する、仲間と一緒に朗読することで、言葉を介して人と関わる喜びもあります。また、朗読に関連した古典芸能や舞台を鑑賞し、図書館や文学館の企画に参加することもあるでしょう。それらは健康長寿につながることばかりです。

私たちの文化は、もともと文字の文化ではなく声の文化からスタートしました。朗読をきっかけに声の文化の伝統にも注目し、生活のなかで朗読を楽しむことができたら、こんなにすばらしいことはありません。朗読は、私たちの日々の暮らしをすこやかで豊かなものにしてくれるはずです。なお、本文のなかにはさまざまな作品の引用があります。どうぞ、その部分は声に出して読んでみていただければと思います。

令和二年二月十五日

好本　恵

目　次　「声の文化を楽しむ～朗読のすすめ」

絵織物・イラスト　口丸弘子

第一章

朗読の基本を身につけよう

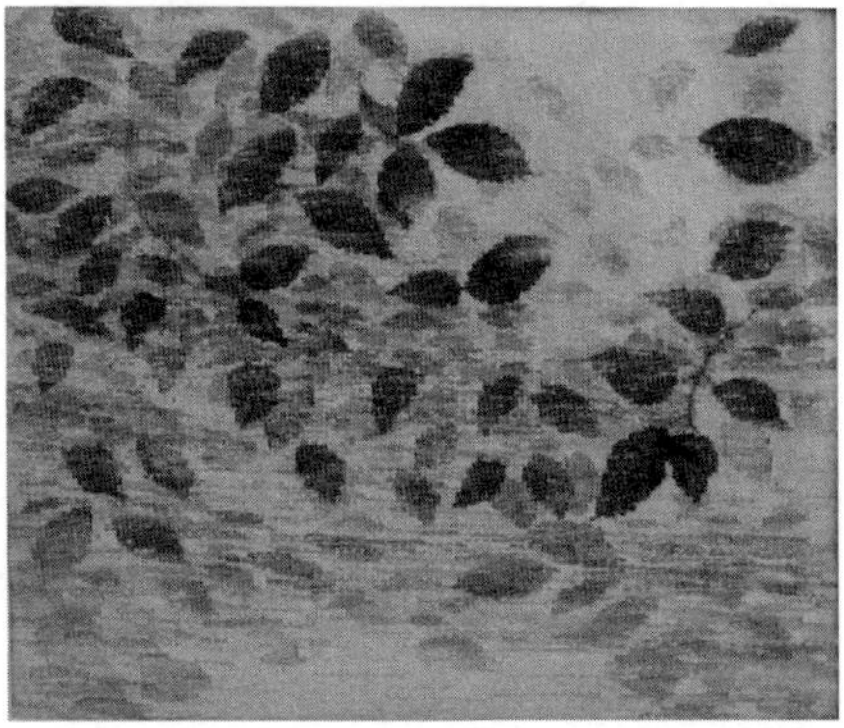

一、自分のよい声を知る

うつくしい声で朗々と読むのが朗読だと誤解している人がいます。また、新しく朗読教室に参加する方がよく「私は声が悪くて…」「生まれつきガラガラ声で…」とおっしゃいます。そのたびに、私は「生まれつき悪い声などありません。私たちのからだは楽器なので、手入れをしてよく響くようにしましょう」とお答えします。声の質は生まれながらのもので、だれもがその人だけの声を持っています。世界で一つだけの楽器を持っているのです。

しかし、楽器がうまく鳴らず、聞きとりにくい声になっている場合があります。しかも年齢を重ねると、くぐもったような不明瞭な声になっていくようです。ピアノやフルートなどの楽器を手入れもせず、鳴らさないで放っておくと、さび付いてしまうのに似ています。自分の声を時々録音し、相手に届く声が出ているのか確認する必要があります。

実は、声が悪いと謙遜なさる方ほど、魅力的な声の持ち主の場合が多いものです。それだけ声に関心を持っているということでしょう。朗読をするうえで重要な要素は、声そのものです。ところが、話すことや読むことは日常生活のなかで非常に身近なことなので、声にあまり意識が向けられていません。

私たちの声はしっかり聞き手の耳に届いているでしょうか。すみずみまでよく通る声とは、どのような声なのでしょうか。自分にとっての自然で無理のない声を見つけたいものです。

伝わる声をさがす

まず、硬めの椅子に浅く腰かけ、背すじを伸ばし、あごはひきます。自然なよい姿勢で肩はリラックスさせます。足を組む、背もたれに寄りかかる、肘をつく、猫背になっている、などでは声が出ません。軽くあくびをするように喉を開いて「あー」と声を出してみてください。お腹の底からの深い呼吸にのせた声が、長時間でも疲れない朗読に適した声です。それは、聞き手にとっても安定感のある聞き心地のよい声なのです。

はじめは天井を向いて、声を出しながらあごをひいていくと、もっとも声の出しやすいところが見つかるはずです。あごをひきすぎても喉が締めつけられ、声は出しにくいものです。喉に負担のかからない、ちょうどよいところを見つけてください。その位置でさまざまな音を出してみて、自分の豊かに響く声を確認します。

続いて、「あー」とまっすぐな声を長く出す発声練習です。「あ〜あ〜あ〜」と揺れないように五メートルほど先に届けてください。長時間でも変わらない声量や声の質を保ちたいと思います。ちょうど、遠くにボールをポーンと投げるような、あるいは紙飛行機を飛ばすような気分で、楽に気持ちよく声を出します。慣れてくると十五秒くらい続けられるようになります。

日本語はそれぞれの音が、真珠の首飾りのように粒がそろっていると聞きやすいのです。ふっくらと炊けたご飯をイメージする人もいます。新米を土鍋で炊いたときにお米の粒がキラキラと輝いているように、一つ一つの音がいきいきと粒だっていて、しかもなめらかだと言葉の意味がしっかり伝わります。息が苦しいからと早く読む、必要ないところで息継ぎをする、などということがないように、まっすぐで安定した声をまず出したいと思います。基本の発声ができていれば、やわらかい声も張りのある声も自由自在に使いわけることができます。

大事なのは母音

日本語の五十音は母音が基本です。はねる音「ん」（撥音《はつおん》）とつまる音「っ」（促音《そくおん》）以外は、伸ばしていけば母音になります。母音の発音を正確にするのが第一歩です。

お綾《あや》や母親にお謝《あやま》り　お綾《あや》や八百屋にお謝《あやま》り

ほとんどの人が「おややや」「おややまり」となり、うまくできません。日常生活でも「ドアを開ける」のように母音がつながっているときは不明瞭になりがちです。一つ一つの母音を丁寧に発音しましょう。

母音の発音練習で意識するポイントは三つあります。唇の形、下あごの開け方、舌の位置です。「ア」は軽くあくびをしたときのようにあごを開けます。「エ」は「ア」の口構えから唇を少し横にひき、舌は少しまえにおきます。「イ」は「エ」よりもさらに唇を横にひき、舌全体を口のなかで持ち上げます。「ウ」は唇を不自然に突き出さないようにしましょう。そして「オ」は、「ウ」よりもあごを下げ、舌の位置は「ウ」よりもやや奥にします。

アエイウエオアオ
カケキクケコカコ
サセシスセソサソ
タテチツテトタト
ナネニヌネノナノ
ハヘヒフヘホハホ
マメミムメモマモ
ヤエイユエヨヤヨ

ラレリルレロラロ
ワエイウエオワオ

五十音に続いて、ガゲギグゲゴガゴなどの濁音と鼻濁音のガ゚ゲ゚ギ゚グ゚ゲ゚ゴ゚ガ゚ゴ゚
さらに、キャキュキョなどの拗音《ようおん》も練習をします。

キャケキキュケキョキャキョ
シャセシシュセショシャショ
チャテチチュテチョチャチョ
ニャネニニュネニョニャニョ
ヒャヘヒヒュヘヒョヒャヒョ
ミャメミミュメミョミャミョ
リャレリリュレリョリャリョ
ギャゲギギュゲギョギャギョ
ジャゼジジュゼジョジャジョ
ビャベビビュベビョビャビョ
ピャペピピュペピョピャピョ

パ行、バ行、マ行は唇をしっかり閉じてから開けます。パ行とバ行は破裂音、マ行は鼻に抜ける鼻音です。ラ行やハ行はむずかしいので重点的に練習するとよいでしょう。

仕上げに唇を軽やかに開け閉めして終わります。

パラピリプルペレポロ
バラビリブルベレボロ
マラミリムルメレモロ

これを五回ずつ言ってウォーミングアップ完了です。

自分の苦手な音はなにか

自分にとって苦手な音がわかったら、それを重点的に練習するのもよいと思います。だれにとってもサ行はむずかしく、英語の「ｔｈ」の発音のように舌を歯に挟んで発音する人や、「し」の音を言うとき、英語の「ｓｅａ」のように、歯茎の裏に舌を持っていく人もいます。有名なサ行の早口言葉でお腹の底から声を出すと、次第に言えるようになります。

新進《しんしん》歌手総出演新春《そうしゅつえんしんしゅん》シャンソンショー
書写山《しょしゃざん》の社僧正《しゃそうじょう》

国立国語研究所「ことば研究館」の記事でもさまざまな早口言葉を紹介しています。言いにくい早口言葉には共通点があるとのことです。第一は、拗音《ようおん》などのすばやく発するのがむずかしい音が含まれている点。第二は、似たような表現の繰り返しが含まれている点だそうです。好きな練習問題で、しっかり口を開いて何度も声にしてみましょう。

東京特許許可局（とうきょうとっきょきょかきょく）
老若男女（ろうにゃくなんにょ）
手術中（しゅじゅつちゅう）
あぶりカルビ（あぶりかるび）
神アニメ（かみあにめ）

日本語を母語としている人は、五十音のどの音も、これまで無意識に出してきたと思います。ときには鏡を見ながら、この音はどの筋肉を使ってどう出しているのか、どうすれば明瞭な音が出るのか調べることも必要です。また、自分の不得意な音を知り、それを改善するにはどうすればよいのか工夫してみるのもよいでしょう。

ちなみに私はサ行が少し強いのを自覚しています。また、「しゃ」「しゅ」「しょ」などの拗音は間違いやすいので原稿に印をつけています。しかし、意識しすぎると、かえって力が入ってしまうので、それも気をつけなければと思っています。

二、筋肉を鍛えて腹式呼吸を

人のまえでスピーチや朗読をしようとすると、どうも思うように声が出せなかったり、自然な息づかいができず、緊張のあまり委縮してしまうことがあります。スポーツと同じように、ここぞというときに実力を発揮するためには、日々発声のトレーニングをし、声とからだのコンディションを整えることが大切です。

何と言っても根本は腹式呼吸です。実感のこもった説得力のある読みをするためには、横隔膜を上下させる腹式呼吸が欠かせません。胸でせかせかと浅く呼吸をする胸式呼吸ではなく、息を吸ったときにお腹が膨らみ、吐いたときにお腹がへこむのが腹式呼吸です。この腹式呼吸は身につけるのが意外にむずかしく、新人のころはなかなか実感できませんでした。まず、ゆったりと仰向けに寝てみましょう。全身をリラックスさせて深く息を吸い、吐きます。お腹に厚手の本をのせ、息を吸ったときにお腹に置いた本が持ち上がれば、腹式呼吸ができています。

よい姿勢で立ち、足の裏から大地にゆっくり息を吐き出し、踵《かかと》から静かに息が入ってくるイメージで吸います。足の裏には鼻も口もないのですが、こうして息を吸うと肩はあがらず、腹式呼吸が自然にできます。『荘子』にこのような言葉があります。

真人の息は踵《かがと》を以てし、衆人の息は喉《のど》を以てす。
屈伏《くっぷく》する者は、其の嗌《むせ》び言うこと哇《は》くが若《ごと》し

（『荘子』第一冊　内編　岩波文庫　一九七一年）

まことの道を悟った真人は踵からの深い呼吸をしているそうです。多くの人のまえで緊張しそうになったら、腹式呼吸をするとふしぎに平常心に戻ることができます。腹式呼吸は心身をリラックスさせる呼吸法でもあるのです。

肺活量が多ければ、意味のかたまりを一息で読みたいときに途中で息継ぎをする必要がありません。アナウンサーは肺活量を自慢し合うことがあります。肺活量は鍛えると確実に増えます。声を出すことは全身運動です。お腹、胸、喉、口、鼻、頭を十分に使って、声をからだで共鳴させるためには、さまざまな筋肉を鍛えることが必要です。そして、毎日声を出し基礎の訓練をすると自然に筋力もついてくるはずです。合唱部や演劇部にいた学生や、実家がお寺の仏教学部の学生は腹式呼吸が得意です。声も安定してよく響きます。しっかり声を出すのが日課で腹式呼吸が身につき、筋肉も鍛えられているからなのでしょう。

声を出すには筋肉がいる

声を出すときには、私たちはさまざまな筋肉を使います。まず、肺の筋肉を使って、肺のなかにある空気を吐き出し、声帯を振動させます。声帯を振動させてできた声の素となる音が、喉から口や鼻にかけての空間を通り抜けるときに、共鳴して声になります。

保育教育ビデオのナレーションを担当したとき、赤ちゃんが言葉を獲得する過程を記録した映像を見て、改めて人間の発達の神秘に驚きました。赤ちゃんは生まれて数か月たつと、舌を使わないで「あー」「うー」などと母音を発します。泣くことしか知らなかった赤ちゃんが「声はこうやって出るのか」と声を出すことを楽しんでいるようです。とくに機嫌のよい日はにぎやかです。この「クーイング」と呼ばれる行為をひとしきりしたあと、舌も使って「喃語《なんご》」を話します。最終的に唇やあごもうまく動かして子音も出せるようになり、「まんま」など意味のある「有意語」を話すようになります。

まわりの大人が関わって赤ちゃんが言葉を獲得していく過程は、だれもが通ってきた道ですが、奇跡としか思えません。

筋肉を鍛えよう

赤ちゃんのころから、さまざまな人と関わって磨いてきた私たちの声と言葉も、年齢とともに衰えてきます。声を出すために必要な筋肉だけでなく、全身のどの筋肉も使わないとその量が減ってしまいます。

六十五歳以上の高齢者の三人に一人は、一年間に一回以上転倒するというデータがあります。年齢を重ねるとだれでも、太もも、ふくらはぎ、お尻、腰回りなど下半身の筋肉が衰えてしまい、転びやすくなります。若いころから運動の習慣をつけておくことが、健康寿命をのばすための大事なポイントです。私も運動不足を何とかしなければと常に思っているので、どこへ行くのも自転車と歩きに決めています。旅先でも、早朝散歩をするよう努めていますが、それだけでは足りないようです。ウォーキングなどの有酸素運動とともに、筋肉を鍛える体操やトレーニングを継続しておこなう必要があるとのこと。健康番組の司会を担当した直後は熱心に取り組むのですが、なかなか長続きしません。

何とか継続する方法はないものか。そこで、先日専門家に教えていただいたのは、日常生活のなかで習慣として取り入れるという方法です。一日三回、食事のあとに歯磨きをするように、食事と筋肉を鍛える運動とをセットにする。あるいはテレビを見るときは、コマーシャルの三分間だけ椅子から腰をあげて静止する。こうした短い時間の積み重ねならできそうです。

さらに、発声発音練習と筋肉を鍛える体操を組み合わせれば、一石二鳥なのではないかと思います。「あー」と声を出しながら椅子から腰を上げて静止する。「あえいうえおあお」と五十音を言いながら足踏み体操やスクワットをする。また、本を読むときは背もたれに寄りかかって猫背になりがちですが、ときには椅子から腰をあげた姿勢で、足腰を鍛えながらの読書にしたらどうでしょう。自分で工夫し、楽しみながらすれば長続きできそうです。筋肉を鍛え、いつまでも元気で若々しいからだと声を保っていたいものです。

三、話すように読む

朗読とは、文字で書かれた文章を声に出して読むことです。そこに、むずかしい決まりや作法があるわけではありません。だれでもいつでもできます。しかし、自分が読んだ作品の感動を聞き手にわかりやすく伝えるには、これだけは押さえたいという基本がいくつかあります。まず覚えておきたいのは、「お手本は話し言葉にある」ということです。

原稿に向かうと棒読みになる人、逆に独特な抑揚がついてしまう人がいます。そのような場合は「話すように読んでください」「顔を上げてこちらに向かって伝えてください」とアドバイスします。新人のころ棒読みだった私に、先輩が「マイクの向こうに、自分のことを大切にしてくれる、おばあちゃんがいるつもりで読んでごらん」と教えてくれました。目のまえにいる聞き手を意識すると、寝ている文字が起きてきます。朗読のお手本は自然な話し言葉です。「読むを話すに近づける」という言い方をする人もいます。つとめて日常の話し言葉と同じイントネーションで読むように心がけましょう。

上から下へのイントネーション

日本語の話し言葉を改めて振り返ってみると、意味のかたまりは一息で言い切っています。文章を読むときも意味内容のかたまりを一息で読むようにすると、自然な勢いのある読みができます。大事なのは、上から下へ自然におりていくイントネーションです。日ごろの話し言葉を思い出して、「への字」のように、あるいはスキーのジャンプのように、上から下がっていくイントネーションで読むことを心がけます。とくに長い文章を読む場合は要注意です。息が苦しい、読み間違えたくないという気持ちが働き不自然になりがちです。

現在は人工音声の研究開発が進んできました。NHK放送技術研究所で、この人工音声とアナウンサーの読みがどう違うかを比べ、分析している番組がありました。夏目漱石の『吾輩は猫である』を、まず人工音声が読みます。

吾輩は猫である。名前はまだ無い。
どこで生れたか頓《とん》と見当がつかぬ。何でも薄暗いじめじめした所でニャー〳〵泣いて居た事丈《だけ》は記憶して居る。吾輩はこゝで始めて人間といふものを見た。然《しか》もあとで聞くとそれは書生といふ人間中で一番獰悪《どうあく》な種族であつたさうだ。

（『定本　漱石全集』第一巻　岩波書店　二〇一六年）

冒頭は切れのよい短い文ではじまります。「吾輩は猫である」「名前はまだ無い」こうした短い文なら、だれもが上から下へのイントネーションで読めますが、「何でも薄暗いじめじめした所でニャー〳〵泣いて居た事丈《だけ》は記憶して居る」になると機械はお手上げです。機械は長い文章のどこが大切なのかを判断できないので、すべての言葉を強調してしまいます。

何でも
薄暗い
じめじめした所で
ニャー〳〵泣いて居た
事丈《だけ》は
記憶して居る

結果的にこのようにブツブツと切れ、上がったり下がったりのイントネーションで、聞きにくくなっていました。私たち人間も、言葉のすべてを強調して読もうとすると不自然になってしまいます。そうならないためには、高い音で読み始め、その音をなるべく保ちながら、少しずつ上から下へ自然におりていくように読みます。

何でも薄暗いじめじめした所でニャー〳〵泣いて居た事丈《だけ》は記憶して居る

全体をひとかたまりでとらえ、休まず一気に読めるくらい息が続くと、よい読みができます。息が苦しいからと、必要もないのに一つの言葉を強く読むと妙な抑揚がついてしまいます。たとえば、「ニャー〳〵」「丈《だけ》は」などを強調しすぎるとそこだけ耳に残って内容がよく伝わりません。どうしても読みにくいときは、「所で」と「ニャー〳〵」のあいだで一瞬だけ止めるように読む方法があります。一瞬止めると短い息が自然に入ってきます。しかし、読点を入れてゆっくり息を吸うのではありません。ごく小さな止めるような「間」です。

何でも薄暗いじめじめした所で
ニャー〳〵泣いて居た事丈《だけ》は記憶して居る

あいまい文や長文を読む

長い文や修飾が多い文、あいまい文と呼ばれるわかりにくい文の場合も、上から下へのイントネーションを基本に読みますが、大事な言葉や強調したいフレーズが途中にあるときは、少し工夫がいります。次の広告文を読んでみてください。

アメリカのバーモント州に伝わるりんごとハチミツの健康法を応用したまろやかでコクのあるカレーです。

このように読点がないと、どこで切ってよいのか迷います。読点が「伝わる」のあとにあったらどうでしょうか。やはり声に出して読んでみてください。

アメリカのバーモント州に伝わる、りんごとハチミツの健康法を応用したまろやかでコクのあるカレーです。

この読点で読むと、アメリカのバーモント州に伝わるのは、健康法なのかカレーなのか、はっきりしません。実際のパッケージには、次のように読点が打たれています。

アメリカのバーモント州に伝わるりんごとハチミツの健康法を応用した、まろやかでコクのあるカレーです。

言語学者の石黒圭さんはこの読点の打ち方に感心すると述べています。よいところに読点が打ってあるので、だれでも、バーモント州に伝わるのは健康法なのだとわかります。この場合は、自然に上から下のイントネーションで読み「まろやか」のまえで「間《ま》」を空けます。さらに、「まろやか」の「ま」の音を少し高く読み、音の立て直しをします。

あいまい文や長い文も、なるべく原文の句読点に従って読みたいと思います。しかし、意味を正確に伝えるためには、自分で新たに句読点をうち、「間」を適切に入れて音の立て直しをする必要が出てくることもあるのです。さらにわかりやすく伝えるためには、音の立て直しをしたあとの「まろやかでコクのある」をゆっくり響かせて読むのがコツです。

アメリカのバーモント州に伝わるりんごとハチミツの健康法を応用した、まろやかでコクのあるカレーです。

日常会話でも、大事な言葉や強調したいフレーズは自然と高く入り、ゆっくり発音しているはずです。「上から下へのイントネーション」を基本に、「間」と「音の立て直し」でわかりやすい読みになります。

お手本の話し言葉も磨いて

朗読に慣れてくると、自分が読みやすいからと、一つの言葉を意味もなく高くしてしまうことがあります。また、必要以上に低い音で読み始めると、息が苦しくなって音が上がったり下がったりします。それが節のある独特の抑揚になって、聞き手には内容よりも朗読者の癖ばかりが耳に残ってしまいます。お手本は常に自然な話し言葉です。

しかし、注意したいのは、その話し言葉そのものに癖があると、それがそのまま朗読の癖になってしまうことです。若い人に「日ごろ話しているように読んでください」と言うと、すべての語尾が伸びた、おしゃべりの日本語になってしまうことが多いのです。しかも、こうした癖は自分ではなかなか気がつきません。ときどき録音し、客観的に自分の読みをチェックしたいものです。

現代の散文を読むときは「お手本は自然な話し言葉にある」と、どんなときも頭に置いておきましょう。

四、「正しく・はっきり・すらすら」でよいのか

文部科学省のホームページには、音読や朗読をどのように子どもたちに教えたらよいか、という方法論が詳しく書かれています。現場の先生方は、さまざまな工夫で子どもたちを指導なさっています。ただ、音読や朗読は受験科目ではないので、それほど重要には考えられていないような印象があります。子どものころの毎日の音読の宿題について大学生に聞いてみると、面倒だったという人が多く、漢字の読み方の練習なのか、何のための宿題なのかわからなかったという人もいました。一方、声に出して読むのは楽しく、母親に褒めてもらって嬉しかったという学生もいました。私自身は、子どもたちの宿題に対して、読んだ回数を記入するだけの親でした。もっと、じっくり聞いてやり、本の内容について話し合い、どのように読めばよいかなど一緒に考え、朗読の楽しさを分かち合えばよかったと、今さらながら後悔しています。

さて、文部科学省のホームページには、音読と朗読の定義が次のように書かれています。

一、「音読」は、黙読の対語（たいご）だから、声に出して読むことは広く「音読」である。
二、「音読」は、正確・明晰・流暢（正しく・はっきり・すらすら）を目標とする。

三、「朗読」は、正確・明晰・流暢に以下を加える。
　ア　作品の価値を音声で表現すること
　イ　作品の特性を音声で表現すること

　このように学校教育のなかでは「正しく・はっきり・すらすら」と読めるようになるのが「音読」の目標で、そこに作品の価値や特性を表現することを加えたのが「朗読」であると定義しています。新人アナウンサーの訓練も、まずは「正しく・はっきり・すらすら」が基本です。
　若い学生は「すらすら」が何よりも大切だと思っているらしく、「二回も噛んでしまった」などと言い間違いを気にします。昔は「とちる」と言ったのですが、最近は「噛む」というようです。言い直さず、すらすら読めばよいと思っている人が多いのですが、それだけで十分なのでしょうか。「正しく・はっきり・すらすら」と読めているのに、意味が少しも伝わらないことがあります。相手の心に言葉が届かないことがあるのです。

朗読は「解釈」

　朗読で大切なのは書かれている意味内容を理解し、聞き手に過不足なく伝えることです。
先輩アナウンサーたちは、原稿をどう読んだらわかりやすく正確に伝えることができるのかを、長年議論しその方法を探ってきました。

わかりやすく伝えるためになにより大事なことは「解釈」です。声を出すまえに、十分に黙読します。そして、書かれている言葉の意味することは何か、テーマや主題は何か、作品全体はどのような構成か、場面の雰囲気や登場人物の心情も考え、作品にそった解釈をすることがスタートです。

作者の意図をどう読み取るか、作品をどう解釈するかは、朗読する私たち一人一人の読解力、感性にかかってきます。そのためには、作品と真摯に向き合い、内容を理解するためにできる限り下調べをする必要があります。作品の時代背景や作者について調べ、わからない言葉は辞書をひき、イメージできないときは図書館へ行き、インターネットで検索をし、現地に足を運び確認することもあります。その作業をするうちに、作品に対する親しみがわいてきます。もうすでに朗読の楽しみは、はじまっています。

作者が伝えたい思いに近づくために、ああでもないこうでもないと試行錯誤を繰り返し、迷いながらもこれしかないという読み方に到達します。それがうまく表現できて聞き手に自然な勢いで伝えられたとき、何とも言えない達成感があります。読み手が作品を正しく解釈し、はじめて「音読」が「朗読」となるのです。朗読でもっとも大切なのは、独りよがりではない、作品や作者に忠実な「解釈」だと思います。

ちょうど音楽の世界で、楽譜が同じでも演奏する人によって変わってくるように、朗読も解釈によってその人らしい表現になります。しかし、個性的であろうと無理をすると、それが耳についてしまいます。作品に謙虚に向き合い、作品の本質を聞き手に伝えようと努めていくなかで、個性的であろうとしなくても個性はおのずからにじみ出るもののようです。

朗読の目的は、作品の魅力を聴き手に伝えることです。技術的に未熟でも「歌ごころ」のある人の歌声は心に響きます。同じように朗読も、作品に感動する感性とそれを伝えたいという強い思いが聞き手の心を動かすのだと思います。

教師をめざす大学生の朗読

勤務している十文字学園女子大学には、小学校の教員をめざす学生も多くいます。その一年生が朗読を披露する「ふるさとにいざ＋オータムコンサート」が毎年おこなわれています。五年目の今年、その舞台を見学しました。前半はピアニストである指導教員とゲストのメゾソプラノ歌手との共演で、国内外の名曲を楽しみ、いよいよ後半は学生八人の登場です。今年は、合唱曲集『子どもの四季』から『利根川』が披露されました。ピアノ、朗読、独唱、合唱、それに踊りもまじえたさわやかな舞台でした。

教育者で、アララギ派の歌人としても活躍した斎藤喜博の作詞、近藤幹雄作曲の『利根川』の楽譜を見ると、利根川の歴史、自然の風景や脅威、その川岸に暮らす人間の悲しみや喜びが描かれています。詩の最後の部分です。

利根川とともに人はいまも生きている
これからも何百年何千年と
利根川は流れ、人は生き続けて行く
憎しみも喜びもかなしみも
利根川は流し清め
人は未来を大きくつくり
川は自然を美しくつくって行く

（斎藤喜博作詞　近藤幹雄作曲　合唱曲集『子どもの四季』一茎書房　一九七九年）

マイクを使わず生の声で語る学生の言葉が、はっきりと会場に届いていることに感心しました。まるで、言葉のボールが会場にポーンポーンと何度も投げられて、それを会場のお客様が受け止めているように感じました。およそ四か月、みなで議論し、作品を解釈し練習を重ねただけあって、完成度が高く、聞き手の心に伝わる表現がみごとにできていたと思います。

「子どもは生まれたときから表現したいと欲している」といいます。この日出演した学生も、聞いていた若者たちも、きっとすばらしい先生や親になって、次の世代の子どもたちの朗読を楽しく指導してくれるのだろうと頼もしく、幸せな気持ちになりました。

第二章

読み聞かせや朗読を始めたい方へ

一、「読み聞かせ」から「読み合い」へ

「読み聞かせ」という言葉は、押しつけがましい印象で抵抗があるという人がいます。『ぐりとぐら』の作者である中川季枝子さんも、読み聞かせには「読んで聞かせる」「言って聞かせる」という感じがあって好きになれない。「子どもと一緒に読む」と言えばよいのではないかと書いています。

私も「読み聞かせ」ではなく、「読み語り」または「語り読み」と言っていた時期もあったのですが、この言葉では、抱っこで絵本を読んでもらっている小さな子どもの姿が浮かびません。自分のことを大事に思っている大人の、抱っこやあぐら、あるいは添い寝で絵本を読んでもらった経験は子どもにとって大切な思い出です。赤ちゃんや年齢の低い子どものときは「読み聞かせ」という言葉がイメージにあいます。少し大きな子どもたちに長い物語や昔話などを語るのは「読み語り」「語り読み」でしょうか。

さらに、絵本研究者のあいだでは、最近は「読み合い」という言葉がよく使われるようになっています。大人は子どもの読みに触発されて自分の読みを創り、子どもも大人の読みを受け入れて自分の読みを

変えていく、という考え方です。子どもと大人が絵本を介して双方向でコミュニケーションをとり、一緒に楽しみ、読みを創り上げていくのが「読み合い」です。言い方は異なっても、大人と子どもが本を通じて、豊かな時間を共有する楽しさに変わりはありません。

絵本の思い出

若い学生は絵本の授業が大好きです。授業は図書館の絵本コーナーで、まず子どものころ好きだった絵本を探してもらいます。「読み聞かせ」の記憶がないという学生もなかにはいますが、多くの学生はお気に入りの絵本を楽しそうに見つけ、紹介してくれます。だれにも、とっておきの一冊があるのだと思います。あるときは、日ごろ寡黙な男子学生が、突然堰を切ったように絵本の魅力を語り出しました。また別のときは、タイトルが思い出せないと困っている学生に、みなでヒントを出し、その絵本を探し当てたこともありました。

今の大学生は二〇〇〇年前後の生まれです。二〇〇〇年（平成一二年）は絵本への関心が急速に高まった節目の年です。「子ども読書年」のこの年、国立初の児童書専門図書館として「国際子ども図書館」が開館しました。そして、二〇〇一年からは「ブックスタート」運動がはじまったのです。「ブックスタート」とは、イギリスから世界に広がったもので、自治体を通して、その年に生まれた赤ちゃんに絵本を贈る活動です。そのころの日本では、子どもをめぐる心配な事件が続いていました。親と子、先生と生徒、大人と子どもの気持ちを通わせるにはどうすればよいのか。その方法を模索するなかで、子どもが親やまわりの大人との豊かなコミュニケーションをとるために「絵本の読み聞かせ」が提案されたのです。

子どもに合わせた読み方で

絵本の「読み聞かせ」にルールや決まりはありません。しかし、読み手の心を開放し、聞いている子どもの呼吸に合わせることは必要です。言葉が理解できる幼稚園児から小学生くらいの大きな子どもには、よけいな抑揚をつけず、内容をわかりやすく伝える気持ちで、淡々と読んだ方が物語の世界に入りやすいようです。第一章でお伝えした基本の読み方です。聞いている子の反応を見ながら、無理のない声で自然に読みます。無理に演出した声は喉に負担がかかり、聞いている子どもも疲れてしまいます。

さて、まだ言葉の意味も十分にわからない赤ちゃんに読むときは、どうしてよいかわからないという人がいます。私は経験から、マザリーズ（MOTHERESE　母親語）を参考にするとよいと考えてます。マザリーズは、乳幼児に対して自然に出てくる語りかけ方で、①声のトーンが高い②抑揚がある③「間」が多い④繰り返す、この四つの特徴があります。

これは、いかなる言語圏、民族であっても共通してみられる普遍的な現象だそうです。子育て中の母親や父親、保育者、定年退職後に孫と接することの多くなった男性も、自然にこのような特徴で話すようになります。

『おててがでたよ』『いない　いない　ばあ』のような絵本を読むときは、ぜひこのマザリーズを参考に、恥ずかしがらずに読んでみてください。かなり大げさに抑揚をつけ、声のトーンを高くして、赤ちゃんの反応を待つ「間」を大切に読んであげるときっと喜んでくれます。また、このマザリーズを使った読み方は、ごく小さい赤ちゃんだけでなく少し大きな子でも、騒がしく集中できない集団などの場合に効果的です。

授業では、「聞き手は小さい子ですか。大きい子ですか。どちらの読み方で読みますか」と尋ね、読み方を選択してもらいます。あるとき、日ごろ論理的な話をするしっかりした女子学生が、マザリーズを生かした読み方で『ノンタン』のシリーズを読んでくれました。抑揚のある高い声と、聞き手の反応を待つ「間」にみな引き込まれ、最後は大喝采です。あまりに自然で上手なのでわけを聞くと、年のはなれた弟に読んでやっていたとのことでした。だれでもはじめは恥ずかしいものです。しかし、聞いている子どもの嬉しそうな表情を見ると自然に読めるようになります。目のまえの子どもの年齢や気持ち、呼吸に合わせて読みたいと思います。

「読み聞かせ」の意味を考える

授業の後半は、「読み聞かせ」は子どもにどのような意味や影響があるのかを考えます。取り上げるのは、『三びきのやぎのがらがらどん』です。この絵本は歌人の俵万智さんの、豊かな言語生活のスタートになった絵本として知られています。俵さんが三歳だったころ、字はまだまったく読めないはずなのに、さも読んでいるかのようにページをめくり「チョキン、パチン、ストン。はなしは　おしまい。」と終わりの言葉を読み上げて、絵本を閉じ「あーおもしろかった」と満足そうに言う。このような「本を読んでるふりごっこ」という一人遊びをしていたそうです。俵さんのお母さんがその声を録音したものが残っており、大人になってご本人が聞くと、一言半句違わず丸暗記していてびっくりしたというのです。

この作品を改めて読んでみると、迫力のある絵、冒険のあるストーリーが魅力的なのはもちろんですが、児童文学者として大きな業績を残した、瀬田貞二の翻訳がすばらしいのです。日本語の七五調の調べをいかしたリズミカルで簡潔な文を、子どもはすぐに覚えてしまいます。オノマトペにも工夫があって「かた　こと」「がた　ごと」「がたん　ごとん」と三匹のやぎが橋を渡るときの音も異なります。俵さんはふしぎな呪文のような言葉「チョキン、パチン、ストン。」と言って本を閉じるときの、くすぐったいような嬉しい気持ちを今も覚えているそうです。そして、丸暗記した幼いころの自分ではなく、丸暗記するまで飽きずに読んでくれたお母さんこそが、天才なのではないかと語っています。

読み聞かせを多くしてもらった子は言葉の発達が早く、語彙が豊富で本好きになるのでしょうか。そのような発達や教育の分野における絵本研究も進んでいます。今のところ、早期からの絵本との出会いが将来の読書好きにつながるというデータはないようです。読み聞かせは子育てによい影響があるのでしなければならない、という単純なものではないと思います。読み聞かせをしてもらった覚えがないけれど、本が好きな子もいます。昔はどこの家庭も親は忙しく、子どもに本を読んでやる余裕はありませんでした。そうした時代に育った高齢の方の向学心や教養には感服します。

絵本研究者の佐々木宏子さんは、『絵本の事典』のなかで、乳幼児期の子どもの絵本体験の意味は「子どもが幼い時期に、その成熟過程で奔放に放つその時期固有の面白さと不思議さを、親子双方が十分に味わうことではなかろうか」と書いています。

わが家でも、まだ字が読めないはずなのに、一人で声を出して絵本を読んでいる子どもの姿を見て驚いたことがありました。耳を澄ませてみると、リズムは日本語のようでしたが、他の人には理解できないふしぎな音で読んでいるのです。日本語が完成するまえのオリジナルの言葉です。こうした発達過程の子どもの姿は一瞬しか見られません。そして、完全に読めたときよりもかわいらしく感じたのを思い出します。寝返りもハイハイも完成する直前がおもしろいのに似ています。

絵本を通じてよい時間を持つ

子どもは同じ絵本を何度でも読んでほしいと持ってきます。同じ絵本を飽きずに読んでやるのには、かなりの忍耐力とエネルギーがいります。読み聞かせは何かをしながらはできないのです。忙しいママやパパに代わって子どもとゆっくり向き合い絵本の世界を楽しめるのは、心にゆとりのあるシニア世代の特権なのではないでしょうか。

そのときに大事にしたいのは次の二点です。まず、生の声であぐらや抱っこでからだを触れ合って読むことです。ＣＤやＤＶＤではなく、肉声で子どもの反応を見ながら、呼吸を合わせて読むことは何より大切です。子どもは五感全部で読み聞かせの時間を楽しむことができます。二点目は、大人も楽しんでおもしろがって読むことです。読み終わったとたんに「どんなお話だったかな」「どこがおもしろかった」などとテストのように聞くのは野暮なことで、なかには絵本嫌いになってしまう子もいるようです。

子どもが、「読んで」と寄ってきて、終わったあとに「もう一回」と要求されたら読み聞かせは大成功です。楽しく一緒に読み合った絵本体験は、子どもにとっても大人にとっても、かけがえのない心の糧になることでしょう。

二、昔話を語る

子どもの発達を紹介するビデオのナレーションを担当したとき、印象的なシーンがありました。新生児が言葉を聞いているとき、脳はどのように反応するのかを調べたものです。脳の血流を測定する帽子を赤ちゃんにかぶせ、昔話を聞かせます。「むかしむかし、あるところに……」と語りがはじまると、すぐに耳の近くで反応が高まりました。言葉を理解するときに働く言語野《げんごや》に当たるところです。そして、頭のまえの方でも活動が活発になりました。

その観察実験で、一見すやすやと眠っているだけの赤ちゃんが、語りかける声に注意を向け、じっと聞き入っていることがわかったのです。さらにふしぎなことに、語りかけの音声を逆回しにして聞かせたところ、普通の語りかけを聞いたときに比べて、反応はずっと弱かったのです。言葉の意味をまだ理解していないはずの赤ちゃんが、同じ人間の声でも、言葉として自然かどうか瞬時に判断し、区別しているようです。

この赤ちゃんはお母さんのお腹のなかで昔話を聞いていたのでしょうか。あるいは、祖先が聞いていた民族の記憶なのかもしれません。大人も子どもも昔話を聞くと心がなごみます。なぜ私たちは昔話に魅力を感じるのでしょうか。そうした疑問を持ちながら、朗読教室で昔話の語りに挑戦してみることにしました。取り上げたのは、『頭《あたま》の大《おお》きな男《おとこ》の話《はなし》』です。

むかし、あるところに、なんともはや、頭《あたま》の大《おお》きな男《おとこ》がいました。あんまり大《おお》きな頭《あたま》なので、どこの床屋《とこや》へ行《い》っても、だれも頭《あたま》をそってくれません。男《おとこ》がこまって、どうしたものかと腕《うで》ぐみして考《かんが》えていると、そこへ友《とも》だちがやってきました。そして、

「そんな顔《かお》をして、いったいどうしたんだ。どこか、ぐあいでもわるいのか」

とききました。

「いやあ、べつにどこもわるいわけじゃないが、おれの頭《あたま》があんまり大《おお》きくて、どこの床屋《とこや》へ行《い》っても、だれもそってくれないんだ。どうしたもんだろうな」

「なんだ、そんなことか。それなら、おれがそってやろう」

友《とも》だちはそういうと、かみそりの刃《は》を三日三晩《みっかみばん》、すったすった、すったすったと、とぎつづけました。それから、大《おお》きな頭《あたま》をそりはじめました。七日七晩《なのかななばん》、ぞりぞり、ぞりぞりと、そりつづけました。ところが、あとすこしでそりあげるというとき、手《て》もとがくるって、頭《あたま》に切《き》り傷《きず》をつけてしまいました。友《とも》だちは、

「さあ、たいへんだ。なにか血止《ちど》めをするものはないか」

と、あたりをみまわしましたが、なにもありません。こまって、ひょっと下《した》をみると、柿《かき》の種《たね》がひとつおちていました。

「しかたがないから、これでまず、血《ち》を止《と》めておこう」

（おざわとしお再話『日本の昔話』第四巻　福音館書店　一九九五年）

繰り返しをいかして淡々と

傷口の血を止めた柿の種から立派な柿の木が生え、おいしい柿がなります。「おいしい柿《かき》、売《う》ってくれ」と町の人々が押しかけます。「よし、そんなにうまいものなら、殿《との》さまにすこしあげてみるか」と殿さまに献上したところ、「なんとうまい柿《かき》だ。こんなうまい柿《かき》は、食《く》ったことがない。ほうびをつかわす」と、ご褒美をもらいます。

怒った柿売りたちに頭の木を倒されたので、男は頭にきのこを植えます。きのこがはえ「うまいきのこ、売ってくれ」とまた町の人びとが押しかけます。殿さまに献上したところ、「なんとうまいきのこだ。こんなうまいきのこは、食《く》ったことがない。ほうびをつかわす」とご褒美をもらいます。怒ったきのこ売りたちは、切り株を根こそぎほってしまいます。しかたがないので、男はそこに水を入れ、池にして鯉をはなします。鯉も大評判になり、また殿さまに献上し「なんとうまい鯉《こい》だ。こんなうまい鯉《こい》は、食《く》ったことがない。ほうびをつかわす」とご褒美をもらいます。

まったく同じことが三回繰り返されます。そういえば、『桃太郎』も「お腰につけたきびだんご。一つください、おともします」と、犬、猿、雉が同じ台詞を言って家来になりました。このように、同じことが三回繰り返されるのが昔話の大きな特徴です。

黙読では変化がなく退屈に感じられる繰り返しが、声に出すと心地よいリズムになります。同じ場面で同じ言葉を繰り返すことで、聞き手の頭のなかのイメージが、はっきりしたものになるのだそうです。昔話は書かれた文学ではないので読み返すことはできません。「語られる」文芸だからこそ、音楽と同じように心地よいフレーズが繰り返され、それがいつまでも心に残ります。子どもは昔話の繰り返しの台詞が大好きで、覚えて楽しんでいます。

しかし、これまで文学作品などの朗読をしていた人は、昔話をどう読めばよいのか戸惑うようです。つかみどころがなく、物足りなさを感じている人もいます。「むかしむかし、あるところにおじいさんとおばあさんがいました」の昔とはいつか、ある所とはどこで、お爺さんはだれなのかについて何の手がかりもありません。時代、場所、人物が不特定であることも、昔話の大きな特徴の一つです。

昔話の語りは「むかしあったずもな」「とんとむかし」などと、かならず発端句《ほったんく》に「むかし」の言葉が入ります。そして、「どっとはらい」「どんどはれ」のような結末句《けつまつく》で終わります。かつては、聞き手は語りにあわせて「ほう」「さんすけ」などとあいづちをいれ、語り手と聞き手とのやり取りのなかで、語りは成り立っていました。

私たちが昔話を朗読するときは、昔話の語りの形式や特徴をいかして読めたらと思います。大げさな抑揚や声色を遣うのではなく、聞き手が昔話の世界に自然に入れるように、聞きやすい声で淡々と読みます。もちろん、間を生かし、お話の展開をわかりやすく伝えるという基本は、文学作品を読む場合と変わりません。

昔話の語りの形式

声で語られてきた物語には、昔話、民話、伝説、神話、口承文芸、伝承文学など、さまざまな種類があります。その違いは何なのでしょうか。

口承文芸の研究は、民俗学者柳田國男によって切り開かれた分野です。文字で書かれたものではなく、口で伝えられたものすべてを含みます。このなかで、神話は神様のことを伝えるもの、民話は神ではなく人間のことを語るものです。

伝説は時代、場所、人物が特定されるのに対し、昔話は特定されていません。伝説は、その内容を信じる人がいますが、昔話は語る者も聞く者も真実とは思っていません。しかし、私たちはそこに「そういうことあるなあ」と人間の普遍的な姿をみることもよくあります。

なかには子どもに聞かせるのには少し抵抗のある話もありますが、口伝えで庶民のあいだで語られてきた昔話は、現代の私たちに力強いメッセージを伝えてくれます。子どもが成長するとはどういうことなのか、もともと人間は自然とどう関わってきたのか、など考えさせられます。

昔話の朗読をするときは、細かい描写や文学性が付け加えられたものではなく、できるだけシンプルなオリジナルに近いものを探すことが大切だといわれています。

たわいもない話なのか

『頭の大きな男の話』は頭の上に柿の実がなり、きのこが生え、池ができて鯉が泳ぎます。これは、どう考えても非現実的な内容です。話はこのように終わっています。


「いやはや、池《いけ》もうめられてしまったな。それにしても、こんなひろいところ、ほうっておくわけにもいかない。だいこんの種《たね》でもまいてみるか」

と思って、だいこんの種《たね》をまきました。すると、種《たね》はすぐに芽《め》をだしました。そして、大《おお》きくなるわ、大《おお》きくなるわ、とんでもなく大《おお》きなだいこんになりました。ほってみると、長《なが》さが十里《じゅうり》もありました。男《おとこ》は、そのだいこんを、

「五里《ごり》、五里《ごり》」

と、かじって、みんな食べてしまいました。友《とも》だちが、

「それなら、そのだいこんの葉《は》っぱ、どのくらいあったんだ」

ときくと、男《おとこ》は、

「は、な、し」

と、こたえましたとさ。

どんどはれ。

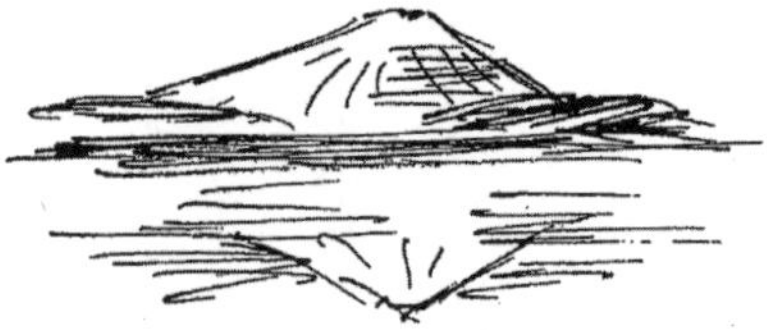

このように洒落《しゃれ》や掛け言葉で話が終わっていて、はぐらかされたような気になるかもしれません。これは形式譚《けいしきたん》という昔話の種類で、お話をせがむ子どもをはぐらかしたり、語りの場の雰囲気をつくるために語られたものです。この『頭の大きな男の話』は、『頭に柿の木』としても知られ、落語『あたま山』として語られています。五大昔話と呼ばれる『桃太郎』『猿かに合戦』『舌切りすずめ』『花咲かじい』『かちかち山』だけでなく、昔話には動物昔話、笑い話、とんち話など、さまざまな種類があります。それらは黙読ではなく声に出すと、よりおもしろさが伝わります。

昔話は、口伝えされてきたおとぎばなしです。日本では囲炉裏で、ヨーロッパでは暖炉のそばなどで、長く語られ続けてきました。いまでこそ、民族の無形文化財として大切にされていますが、ヨーロッパでは、名もない農民たちが口で伝えてきたものが研究に値するのか、くだらない物語なのではないかと思われた時代もあったようです。

口承伝承文学の研究者小澤俊夫さんも、日本中のお年寄りに昔話を聞きに行くと、はじめのうちは、「孫も信じてくれないような、うそっぱなし」を聞かせられないと遠慮するお年寄りが多かったそうです。丹念に時間をかけて集め、再話された昔話は貴重な文化遺産だと思います。

そのなかで、岩手県遠野の鈴木サツさんの語りのリズムのすばらしさは、亡くなった今も高く評価されています。サツさんは幼いころ、父親から昔話をたっぷり聞いて育ちました。

昔は、テレビもラジオもなく、お話の上手な大人の話を聞くのが家族の娯楽だったのです。サッさんは六〇歳になったとき、二百話もの昔話を語り始めました。からだと心が覚えていたそうです。昔話はその土地の言葉で語られてこそ意義があり、味わいがあると実感します。現代では、こうした「語り部」の方にお会いすることはむずかしく、記録ビデオなどで見ることができます。若い学生にこのビデオを見せると、方言がむずかしくてわからないと言いますが、その調べにはなつかしさを感じるようです。

生の声で語る

対談集で小澤俊夫さんに直接お話をお聞きしたときのことが忘れられません。小澤さんはテレビやＤＶＤなどで、どこの土地の言葉でもない方言風の「だべ」などの語尾で昔話が語られるのは、本当の土地言葉に対して失礼ではないかと指摘しています。そして、共通語によって再話された物語を、日常使われている現代の土地言葉でそれぞれ語ってほしい、とおっしゃっていました。実際に私の教室でも『ねずみのもちつき』『ふるやのもり』『三枚のお札』『寝太郎』などの昔話をふるさとの日常の言葉で読んでいただいたところ、のびのびと声が出ました。自然な調べも生まれ、聞き手はうっとり聞き入ってしまいました。

大切なことは、機械を通した声ではなく肉声で語ることです。長い民族の歴史のなかで語られ聞かれてきた昔話は、今も親しい大人から生の声で聞くのが何より大事なことです。「人類は家庭というものを形づくって以来、語ることをやめたことがない」という言葉があります。私たちは、食べることをやめたことがないのと同じように、語ることを続けてきました。しかし、現代ではテレビやインターネットの普及で、昔話が語られることは非常に少なくなっています。

おそらく新生児のときから、子どもは昔話を聞きたがっています。囲炉裏の傍らで語ることは無理でも、それぞれの家庭や地域で生の声による語りが続いていくことを願わずにはいられません。

三、自作朗読を聞く〜谷川俊太郎さん

谷川俊太郎さんはだれもが認める国民的な詩人です。さまざまな文学賞を受賞し、詩の他、絵本、エッセイ、翻訳、脚本、作詞など幅ひろく作品を発表しています。そして、アート全般とのコラボレーションで、詩の可能性を広げる活動にも常に意欲的です。一年中Tシャツ姿で、驚くほどのフットワークで全国を訪れ、あらゆる世代に大人気です。日本では稀有なスター性のある詩人ではないでしょうか。

言葉で闘う『詩のボクシング』

そして、谷川さんは朗読の名手でもあります。はじめてそのすばらしい朗読を知ったのは、一九九八年の『詩のボクシング』を中継する番組でした。ねじめ正一さんと谷川俊太郎さんが詩で闘うボクシングです。実際に舞台にはリングが作られ、お二人が青コーナーと赤コーナーに分かれます。ゴングの音とともに言葉の格闘技がはじまりました。

当時、朗読に力を入れていた谷川さんは「詩は楽譜みたいなもので演奏するのが声。モーツァルトが演奏家によって、それぞれ違うものになるように、詩も朗読によって、さまざま

な可能性をもつことができる」というのが持論でした。この『詩のボクシング』で披露された詩は、どれも笑いとユーモアに満ちた作品ばかりでした。そして、詩は語るもの、歌うもの、訴えるもの、朗読してこそ、遊び心が満たされるものであることがわかりました。その日の闘いの最後に、即興で創られた『ラジオ』です。

ラジオ　　　　谷川俊太郎

書かれた言葉は消せる
消しゴムで
インク消しで
デリートキーで

だけど声になった言葉は消せない
いったん大気に放射されてしまうと
いつまでも漂っている
木々のあいだを漂っている
青空に向かって漂っている

ラジオから聞こえてくる声は
地理的に遠いだけじゃなくて
もしかすると
すごく時間をさかのぼっている声なんじゃないかな

だから今こうやってしゃべっているぼくの声を
ぼくは消したい
抹消したい

消えないから
あなたの心のなかに残ってしまうから
消してブランクにしたい
空っぽにしたい
空っぽにしないと次の言葉が出てこない

地面の下から
空の上の方から

木々のあいだから
もしかすると海の深い底の方から
言葉はぼくの足を通って
ぼくのお腹を通って
ぼくの口まで届く

その言葉を自由にするために
忘れてください
今ぼくがしゃべったことを
全部忘れてください
それでからっぽになって家へ帰ってください

（『詩のボクシング』ＮＨＫ衛星第二　一九九八年十一月十七日）

谷川さんの即興詩の朗読が終わると、しーんと聞き入っていた聴衆から、拍手とともに大きなため息がもれました。

詩は魔物、詩は普遍

その十年後、岡山県赤磐市のシンポジウムで谷川俊太郎さんとご一緒する機会に恵まれました。二〇〇九年「第十三回永瀬清子の詩の世界~光っている窓」でのことです。担当の女性ディレクターと私は入念に準備をし、前日の夜遅くまで議論して進行台本を作りました。私が、永瀬清子のエッセイ『光っている窓』を朗読で紹介しながら、谷川さんに詩人の詩に対する思いについて話していただこうという内容です。

当日の朝、楽屋へ打ち合わせに伺うと、私たちの、生放送直前のような切羽詰まった態度に、思わず谷川さんが「あれ、これ、放送じゃないよね」と驚いたほどでした。放送にはならず、その日だけのシンポジウムでしたが、会場の皆さんも大満足で、そこで話された内容は今も心に残る貴重な証言です。谷川さんはこうおっしゃいました。

「詩というのは魔物ですよね。詩人当人よりはるかにあとまで残って、詩人当人の一番大事なところを伝えちゃうんですよね」

「永瀬さんは個性的な詩を書いていらっしゃるのだけど、個性的であればあるほど普遍に近づく、というところが言葉のおもしろさですね」

永瀬清子は一九〇六年の生まれで、谷川さんと詩人同士の交流がありました。たしかに、永瀬清子の詩は自身を語る叙事詩のようでありながら、多くの女性が共感する普遍性を持っています。この日、永瀬清子の代表作『あけがたにくる人よ』を、谷川さんが朗読しました。

あけがたにくる人よ

永瀬清子

あけがたにくる人よ
ててっぽっぽうの声のする方から
私の所へしずかにしずかにくる人よ
一生の山坂は蒼くたとえようもなくきびしく
私はいま老いてしまって
ほかの年よりと同じに
若かった日のことを千万遍恋うている

その時私は家出しようとして
小さなバスケット一つをさげて
足は宙にふるえていた
どこへいくとも自分でわからず
恋している自分の心だけがたよりで
若さ、それは苦しさだった

その時あなたが来てくれればよかったのに
その時あなたは来てくれなかった
どんなに待っているか
道べりの柳の木に云えばよかったのか
吹く風の小さな渦に頼めばよかったのか

あなたの耳はあまりに遠く
茜色の向うで汽車が汽笛をあげるように
通りすぎていってしまった

もう過ぎてしまった
いま来てもつぐなえぬ
一生は過ぎてしまったのに
あけがたにくる人よ
ててっぽっぽうの声のする方から
私の方へしずかにしずかにくる人よ

足音もなくて何しにくる人よ
涙流させにだけくる人よ

（『あけがたにくる人よ』 思潮社　一九八七年）

詩人は作品をどう朗読されたいのか

シンポジウムの後半は、詩をどう朗読するのがよいかという話題になりました。谷川さんの詩を子どもたちが群読してくれることがあるが、やはりこれは無理があるとおっしゃいます。群読しようとすると、どうしても日本人のからだのなかにある韻律、七五調の調べが出てしまう。群読のために書かれた詩は別として、本来詩はプライベートなものなので、群読には向かないということです。この日は『いるか』の自作朗読をお願いしました。

「一人で読むときには物語的にお話っぽく誇張して読むことになります」

と、いきなり朗読し始めた『いるか』は、リズミカルで軽やか、張っている声もささやくような声も自由自在です。日本語のおもしろさや音の響きを楽しむことができました。ご自分で言葉を選びぬいた詩ですから、読んでいるのではなく、からだから言葉がいきいきと飛び出してくるようなみごとな朗読で、会場から感嘆の声があがりました。

いるか

谷川俊太郎

いるかいるか
いないかいるか
いないいないいるか
いつならいるか
よるならいるか
またきてみるか
いるかいないか
いないかいるか
いるいるいるか
いっぱいいるか
ねているいるか
ゆめみているか

（『ことばあそびうた』福音館書店　一九七三年）

このあと、私が

「ご自分の詩がだれかに朗読されるときに、原作者として正直言ってちょっとこれは困る、違和感があるということがありますか」

とお聞きすると、

「そりゃありますよ」

とのことです。作者ががっかりしないように朗読者は作品に忠実に読まなければと、身の引き締まる思いでいると、谷川さんは、

「二枚目の男優が読んだりすると総毛だつことがありますよ」

とおっしゃいます。会場内は「えー、そこですか」と大きな笑いに包まれました。思わず私は、

「それは、谷川さんの男優さんへのライバル意識かもしれないという気がします」

と冗談を言うと

「何を言っているの」

と谷川さんが口をとがらせてお答えになり、場内はさらに大爆笑でした。

最近の活動は

さらに十年後の二〇一八年五月に、ゼミの学生を連れて、日本近代文学館でおこなわれている「第九十三回声のライブラリー」に、再び谷川さんの自作朗読を聞きに行きました。この企画は、毎回二人の文学者が自作の作品を朗読し、その後司会者も加わって座談会をするというものです。その模様は貴重な視聴覚資料として長く保存されています。小さな会場で作家たちの肉声が聞けるのは貴重です。この日の谷川さんの自作朗読『二十億光年の孤独』に感銘を受けました。一九五二年発表の作品ですが、さらりと自然体の「間」と緩急で、一つ一つの言葉が持つ新鮮さと普遍性が聞き手の心にしっかり届く朗読でした。

二十億光年の孤独　　谷川俊太郎

人類は小さな球の上で
眠り起きそして働き
ときどき火星に仲間を欲しがったりする

火星人は小さな球の上で
何をしてるか　僕は知らない

（或いは　ネリリし　キルルし　ハララしているか）
しかしときどき地球に仲間を欲しがつたりする
それはまつたくたしかなことだ

萬有引力とは
ひき合う孤獨の力である

宇宙はひずんでいる
それ故みんなはもとめ合う

宇宙はどんどん膨んでゆく
それ故みんなは不安である

二十億光年の孤獨に
僕は思はずくしやみをした

（『二十億光年の孤獨』創元社　一九五二年）

言葉で子どもになれる

二年後の二〇一九年九月、谷川さんとご子息の谷川賢作さんとのコンサートが開催されるのを知りました。ピアニストの賢作さんは『その時歴史が動いた』のテーマ曲などの作曲でも知られています。コンサートは、東京都練馬区のちひろ美術館での企画展「ちひろさんの子どもたち」の関連イベントとして、美術館近くの小学校でおこなわれました。

講堂にマットが敷かれ、日に焼けた子どもたちが一〇〇人ほど座ります。大人はそのまわりのパイプ椅子に座りました。ちひろの作品がスライドで映し出され、賢作さんのピアノの演奏とともに谷川さんの朗読で『なまえをつけて』が披露されました。その他『すき』『だいち』など、ひらがなだけで書かれた作品は、子どもだけでなく大人の心にも響きます。

「ちひろさんは絵で子どもになれる。僕は言葉で子どもになれる」

と谷川さんはおっしゃいます。この日、三歳くらいの男の子が、ピアノの脇で演奏に合わせて一人踊り出しました。よほど気持ちがよくなったのでしょう。その姿をおもしろそうに眺めていた谷川さんのまなざしが印象的でした。

公演後にご挨拶に伺い

「永瀬清子のシンポジウムのことや今日のこと、書いてもよろしいでしょうか。それから詩は引用させていただいてもいいでしょうか」

とお尋ねすると、

「いいですよ。だれかが何か言ったら、僕がいいって言ってたと言ってください」というありがたいお言葉をいただきました。そこで、これまでの経験をのびのびと書くことにしました。これからも谷川俊太郎さんの活動から目が離せません。

第三章

よりよい朗読のために

一、名人は息で読む〜間《ま》・緩急・息づかい

朗読がうまくなりたいと常に思っています。名人といわれる人の朗読はどこが違うのか、模範としたい先輩の録音に、自分の声を重ねて読んでみたことがあります。声をそろえて読み始めると、名人はここぞというところで驚くほどの「間」を空けていました。そして緩急と呼吸が何ともよいのです。「間」の取り方や呼吸は人によって違いますし、真似して覚えるものではないかもしれません。しかし、名人と一緒に読んでみると、それまでの自分の「間」や「緩急」「息づかい」では、作品のおもしろさを十分に表現できていなかったことに気がつきました。

声を重ねて一緒に読んでみたのは、夏目漱石の『坊っちゃん』です。まずは冒頭の有名なシーンを読んでみましょう。なお、引用は『定本　漱石全集』（岩波書店）からにしました。朗読するときのテキストは、読みやすくした手軽な本もありますが、版を重ねているうちに間違って印刷されてしまうこともあります。そこで、できるだけ初版本（復刻本）か、全集から探すように努めています。

親譲りの無鉄砲で小供の時から損ばかりして居る。小学校に居る時分《じぶん》学校の二階から

飛び降りて一週間程腰を抜かした事がある。なぜそんな無闇をしたと聞く人があるかも知れぬ。別段深い理由でもない。新築の二階から首を出して居たら、同級生の一人が冗談に、いくら威張つても、そこから飛び降りる事は出来まい。弱虫やーい。と囃《はや》したからである。小使に負ぶさつて帰つて来た時、おやぢが大きな眼をして二階位から飛び降りて腰を抜かす奴があるかと云つたから、此次は抜かさずに飛んで見せますと答へた。

親類のものから西洋製のナイフを貰つて奇麗な刃を日に翳《かざ》して、友達に見せて居たら、一人が光る事は光るが切れさうもないと云つた。切れぬ事があるか、何でも切つて見せると受け合つた。そんなら君の指を切つてみろと注文したから、何だ指位《くらい》此通りだと右の手の親指の甲《こう》をはすに切り込んだ。幸ナイフが小さいのと、親指の骨が堅かつたので、今だに親指は手に付いて居る。然し創痕《きずあと》は死ぬ迄消えぬ。

（『定本　漱石全集』第二巻　岩波書店　二〇一七年）

緩急でめりはりをつける

作品の冒頭をどう読み始めるのか、むずかしいところです。漱石の研究者である早稲田大学名誉教授の中島国彦さんによると『吾輩は猫である』や『坊っちゃん』の直筆原稿を見ると、ほとんど書き直しがなく、短い時間で一気に書いていることがわかるそうです。とくに、

『坊っちゃん』の原稿は、「約一週間で仕上げられているが、漱石はわき起こる言葉の世界を追いかけるのに、自分でも精一杯だったように思う。だからこそ、わたくしたち読者は、この作品は、出来る限りスピーディーに読み進めなくてはならない。考えている暇などない」と書いています。これは黙読でも朗読でも共通です。

　親譲りの無鉄砲で小供の時から損ばかりして居る。

冒頭の文も、「無鉄砲で」の後に読点を入れて読みがちですが、できればスピーディーに一息で読んでほしいそうです。全体が坊っちゃんの一人称で書かれた作品です。江戸っ子の主人公が読者に語っているような、自然な勢い、息づかいで読みたいと思います。「いる」「ある」「しれぬ」「ない」というシャープな文末を意識し、短く言い切ります。どうしても語尾が伸びてしまうときは、「いるっ」「あるっ」「ないっ」と促音の小さい「っ」を入れるような気持ちで読むと「切れ」のよい語尾になります。

続いて、坊っちゃんが、松山中学ではじめて授業をしたときのシーンです。

　最初のうちは、生徒も烟に捲かれてぼんやりして居たから、それ見ろと益《ますます》得意になつて、べらんめい調を用ゐてたら、一番前の列の真中に居た、一番強さうな奴が、いきなり起立して先生と云ふ。そら来たと思ひながら、何だと聞いたら、「あまり早くて分からんけれ、まちつと、ゆる〳〵遣つて、おくれんかな、もし」と云つた。おくれんかな、もしは生温《なまぬ》るい言葉だ。早過ぎるなら、ゆつくり云つてやるが、おれは江戸っ子だから君等の言葉は使へない、分らなければ、分る迄待つてるがいゝと答へてやつた。此調子で二時間目は思つたより、うまく行つた。

ここは、すべて同じスピード、同じ「間」で読むとおもしろさが伝わりません。主人公の坊っちゃんは気が短くて無鉄砲、正義感の強い江戸っ子です。はじめは坊っちゃんの一人語りですから、テンポよく、歯切れよい江戸弁の息で読みます。「あまり〜」と松山の中学生が話し始める会話のまえに、思い切った「間」を入れます。生徒の台詞はゆるゆるとした伊予の土地の言葉、いわゆる伊予弁です。のんびり間延びするくらいの息づかいで読みます。「〜おくれんかな、もし」のあとは、また江戸っ子のスピーディーなテンポに戻ります。名人の読みは、そのコントラストが鮮明で、めりはりのきいた朗読でした。

伊予弁を聞きに松山へ

旧制中学へ通う生徒の伊予弁を聞いてみたいものです。また、作品のなかに登場する「マッチ箱のような汽車」が「坊っちゃん列車」として復元されています。その列車にも乗りたいと松山に行ってみました。路面電車でまわると、漱石ゆかりの史跡が町中に点在しています。それらは繁華街やビルのあいだに挟まれています。

そのなかで、漱石が通いつめた道後温泉には当時の風情が残っていました。温泉は、三千年の歴史を誇る日本最古のものといわれます。明治二十七年に建てられた道後温泉本館は、国の重要文化財になっている風格のある建物です。明治二十七年といえば、漱石が赴任したまえの年です。当時は驚くほど立派な建物で話題になったのではないでしょうか。新しい木の香りもしたことでしょう。現在の男湯には「坊っちゃん泳ぐべからず」の札がかかっています。見られるのは男性だけとあきらめていたのですが、令和六年までは保存修理工事がおこなわれている関係で、一時的に女湯になっており、偶然この札を見ることができました。温泉では婦人たちは賑やかにおしゃべりをしていましたが、本格的な伊予弁を聞くことはできませんでした。

愚陀仏は主人の名なり冬籠　　漱石

愚陀仏《ぐだぶつ》は漱石の俳号です。漱石は二五〇〇以上の俳句を残していますが、そのうちの三分の一は松山滞在中に詠んだものです。親友の正岡子規は「愚陀仏庵《ぐだぶつあん》」と呼ばれた漱石の寓居に五十二日間居候していました。連日句会をし、「二人で日本の文学を興そうではないか」

と熱く語り合ったと伝えられています。子規記念博物館には漱石と子規の交友を示す資料も多く、「俳句をつくろう！」というコーナーには、来館者が俳句を作ると短冊にしてくれる機械があります。おもしろそうなので、私も恥ずかしながら一句詠んでみました。

漱石と旅する秋の日ぞなもし　　恵

松山は明るい俳句の街です。商店街のアーケードでは、毎年全国の高校生が集まって俳句甲子園がおこなわれています。そこで活躍する松山東高等学校の前身は、漱石が赴任した旧制松山中学です。もともとは松山藩の藩校でした。正岡子規も、高浜虚子も、中村草田男もここで学んでいます。藩校の講堂「明教館《めいきょうかん》」は、現在の松山東高等学校内に移築され、当時の姿のまま保存されています。書院造りのうつくしい建物です。予約して訪ねたところ、たった一人の見学者だった私のために、高校の先生が丁寧に案内してくださいました。史料館では漱石や子規などの貴重な資料もじっくり見ることができます。門を出るときはちょうど下校時間と重なり、男女の高校生たちが「さようなら」と元気に挨拶しながら自転車で去っていきます。やはり、高校生の言葉も伊予弁ではありませんでした。

声を息にのせて

現代の私たちが、明治時代の中学生の伊予弁を真似するのは到底できそうにありません。しかし、彼らはあの明るい緑の多い土地で、おおらかに呼吸をしていたに違いありません。その息づかいをイメージして、声を息にのせて読むと、リアリティが出てくるのではないでしょうか。

「声を息にのせて読む」とはどのようなことなのか、漱石の作品からは離れますが、わかりやすい身近な例をあげてみましょう。先日、近所の横断歩道で、もうすぐ青だからと一歩踏み出そうとしたところ「危ない！信号は赤です」と信号機から声がします。思わず私はカメラがどこかについていて、だれか見ていたのかと振り返ってしまいました。録音された声なのに、お母さんが子どもに「危ない」というときの息づかいなのです。気持ちを声にのせています。

文章を読むときは、その状況をイメージし、登場人物の気持ちを推しはかりながら、息を出します。その息に声をのせると実感がこもります。「ほう」「まあ」「はあ」などの感嘆詞や、「こんにちは」「おはようございます」などの挨拶でまず練習してみてください。目のまえの人に伝えようとすると声が息にのってきます。

呼吸はすべての芸術芸能の基本です。音楽の世界でも、実際に息を使って鳴らす管楽器や木管楽器だけでなく、ヴァイオリンやピアノなどでも呼吸が演奏のよしあしを決めます。オーケストラの指揮者はぴんと張りつめた空気のなかで短く息を吸い、団員と目を合わせ、一瞬の吐く息で音を合わせます。緊張感のなかではじまる、息の合った演奏はとても気持ちのよいものです。朗読するときにも、作品と合わせた「息づかい」を心がけましょう。

清と坊っちゃん

漱石が赴任していた松山で『坊っちゃん』の作品にあるような事実や事件が実際にあったわけではありません。しかし、漱石は作品のなかで当時の教育界や社会を、笑いもまじえながら痛烈に批判しています。『坊っちゃん』の主題やテーマは何でしょうか。

漱石は江戸弁と伊予弁をたたかわせることで、文学界における言葉の中央集権化を批判したのではないかという説があります。近代化を急ぐ明治という時代を批判しつつ、清に象徴される江戸的な日本への、郷愁や思いを書きたかったのではないかという解釈もあります。『坊っちゃん』は清への思いをつづった物語だという人もいます。

清の坊っちゃんへの気持ちがよくわかるところです。

　清は時々台所で人の居ない時に「あなたは真っ直でよい御気性だ」と賞《ほ》める事が時々あつた。然しおれには清の云ふ意味が分からなかつた。好い気性なら清以外のものも、もう少し善くしてくれるだらうと思つた。清がこんな事を云ふ度におれは御世辞は嫌だと答へるのが常であつた。すると婆さんは夫《それ》だから好い御気性ですと云つては、嬉しさうにおれの顔を眺めて居る。自分の力でおれを製造して誇つてる様に見える。少々気味がわるかつた。

中島国彦さんによると『坊っちゃん』のなかには、近代的な作品論で使われる「性格」という言葉は一度も出てこないそうです。多く出てくるのは「性分《しょうぶん》」「性《たち》」「気性《きしょう》」という江戸の雰囲気を感じさせる日常の言葉です。朗読するときにも、この原作の語感を大切に読みたいと思います。

清に別れを告げて東京を離れた坊っちゃんは、松山でのさまざまな事件のあと、清の待つ東京に帰ってきます。『坊っちゃん』の最後のシーンは、しんみりと静かな息づかいと、たっぷりの「間」で読みたいものです。

清の事を話すのを忘れて居た。——おれが東京へ着いて下宿へも行かず、革鞄《かばん》を提げた儘、清や帰つたよと飛び込んだら、あら坊っちゃん、よくまあ、早く帰つて来て下さつたと涙をぽた〳〵と落した。おれも余り嬉しかつたからもう田舎へは行かない、東京で清とうちを持つんだと云つた。

其後ある人の周旋で街鉄《がいてつ》の技手になつた。月給は二十五円で、屋賃《やちん》は六円だ。清は玄関付きの家でなくつても至極満足の様子であつたが気の毒な事に今年の二月肺炎に罹《かか》つて死んで仕舞つた。死ぬ前日おれを呼んで坊つちやん後生だから清が死んだら、坊っちやんの御寺へ埋めて下さい。御墓のなかで坊つちやんの来るのを楽しみに待つて居りますと云つた。だから清の墓は小日向《こびなた》の養源寺にある。

ここで大切なのは文末のおさめ方です。最後の「養源寺にある」は、丁寧にそっと置くように声を出します。語尾を極めるには時間と経験がいります。「語尾がまだまだ」と先輩によく言われました。「～でした」「～です」「～である」といった語尾は強すぎると乱暴ですし、弱すぎると消えてしまいます。重すぎてもいけないし、軽すぎると味気ないものになってしまいます。品よく丁寧におさめたいと思います。語尾は、何度も自分で録音して、納得いくまで検討したいものです。

さて、清と坊っちゃんの関係には、だれもが温かさとなつかしさを感じます。小説のなかの人物なのに、養源寺には清の墓まであります。雑司ヶ谷霊園にある漱石自身の墓は、ギリシャ風の立派な椅子の形で、明治の文豪にふさわしい風格です。法名は「文献院古道漱石居士」墓石の裏には「キヨ」という文字が刻まれていました。鏡子夫人の本名は「キヨ」、そして『坊っちゃん』に登場するのも「清」です。漱石の孫にあたる夏目房之介さんは、「『坊っちゃん』は、漱石から鏡子夫人へのラブレターという部分もあったかもしれませんね」と書いています。

『坊っちゃん』のテーマは何か、漱石は恐妻家だったのか愛妻家だったのか。さまざまな説や解釈があり、行く先々が名所になっているのを見ても、夏目漱石は日本人に愛されている国民的な作家なのがよくわかります。「間」と「緩急」そして「息づかい」を意識して、あらためて漱石の作品を声に出して読んでみてください。今までとは違う味わいになることは間違いありません。

二、朗読とナレーション～アンネの日記

ＮＨＫの『一〇〇分ｄｅ名著』という番組で『アンネの日記』のナレーションを担当したことがあります。五年ほどまえのことです。この作品は、ユネスコによって「世界でもっとも読まれた十冊」のうちの一冊にあげられ、二〇〇九年には、世界記憶遺産に登録されています。小学生から大人までこの本の名を知らない人はいません。しかし、しっかり読んだことのある人はあまりいないのではないでしょうか。ナチス占領下のオランダで隠れ家に二年も暮らし、最後は強制収容所で亡くなった少女の記録は、貴重な歴史的証言です。しかし、読むのは辛いと思っている人も多いと思います。私自身もそうでした。しかし、番組をきっかけに改めて読んで作品の真の魅力を知ることができました。

リアルな青春小説

作家としてこの作品から影響を受けたという、小川洋子さんが番組の指南役です。小川さんは、『アンネの日記』には、他にはない文学的な豊かさがあると指摘しています。そして、青春のただなかにある少女が自ら書いた、リアルな青春小説だと位置づけています。青春小

説といえば何を思い浮かべるでしょうか。私が思い浮かべるのは、太宰治の『女生徒』や三浦しをんの『風が強く吹いている』などです。『女生徒』にはナイーブで繊細な十代の少女の心の内面が描かれています。これは、若い読者の日記をもとに書かれたものとされていま す。一方『風が強く吹いている』は箱根駅伝に挑戦する若者をいきいきと描いた青春小説です。おそらく入念な取材をもとにした創作です。

だれにも覚えのあるように、思春期には大人社会へのいら立ちや親への反抗心、異性への関心、将来への不安、自分が何でもできるように感じたり、ひどく無力に感じたりする不安定さ、さまざまなものが心の中で渦巻いています。『アンネの日記』は、青春の姿をあとから書いた回想や創作ではなく、青春のまっただなかにある作者本人が書いた作品だけに、真実の迫力がある、しかも豊かな文学作品だと小川さんは言います。

作者をイメージした朗読

作品の朗読は女優の満島ひかりさんでした。大きな瞳と黒い髪の満島さんを見て、私たちスタッフはアンネに似ているような気がしました。ご本人も以前にそういわれたことがあったそうです。満島さんの朗読はとてもユニークで個性的でした。ときには靴を脱ぎ、はだしで朗読します。また肘をついて、アンネがおしゃべりしているような姿で読むときもあります。私は、それまで、舞台朗読などで動作を入れるのには疑問を持っていました。朗読する人間のよけいな動きがあると、聞いている人はそれが気になってしまうのではないかと思っていたのです。作品に集中できるように淡々と、顔の表情もあまり変えないで読む方がよいと先輩からも言われてきました。

しかし、スタジオ収録された満島さんの朗読を聞いていると、いきいきとしたアンネの姿が見えるようです。オリジナルの日記はこうはじまっています。

〔表紙裏〕　なんてすてきなポートレート！！！

〔前見返し〕　あなたになら、これまでだれにも打ち明けられなかったことを、なにもかもお話しできそうです。どうかわたしのために、大きな心の支えと慰めになってくださいね。

アンネ・フランク。　一九四二年六月十二日

そのあとに、自己紹介ともいえる十二箇条のビューティーポイントが書かれています。きれいでいたいと思う気持ちは、現代の十代の女の子と変わりません。

ここで七箇条ないし十二箇条のビューティーポイント（言っときますけど、わたしの

じゃありませんよ！）を挙げておくべきでしょう。そうすれば、そのうちのどれがわたしにあって、どれがないかが記入できますから！

一九四二年九月二十八日。（わたしの自作の表。）

1. 青い目、黒い髪。（いいえ。）
2. 頬のえくぼ（はい。）
3. あごのえくぼ（はい。）
4. 富士びたい（いいえ。）
5. 肌の白さ（はい。）
6. そろった歯（いいえ。）
7. 小さな口（いいえ。）
8. カールしたまつげ（いいえ。）
9. まっすぐな鼻（はい。）〔すくなくともいまのところは。〕
10. すてきな服（ときどきは。）〔わたしに言わせれば数が足りない。〕
11. きれいな爪（ときどきは。）
12. 知性（ときどきは。）

（『アンネの日記―研究版』文芸春秋　一九九四年）

食べるものも乏しく、常に息をひそめながら暮らす日々のなかでも、アンネはユーモアを忘れません。一九四二年七月八日の一家が隠れ家へ移動するときも、非常に深刻な状況なのにこう書かれています。

家族一同、まるで北極探検にでも出かけるみたいに、どっさり服を着こみましたが、これもできるだけたくさん衣類を持ってゆくための苦肉の策です。わたしたちのような立場にあるユダヤ人が、着るものを詰めこんだスーツケースを持って家を出るなんて、論外ですから。というわけで、わたしは肌着を二枚着て、パンツを三枚重ねてはいたうえに、ワンピースを着て、さらにスカートとジャケットとを重ね、サマーコートをはおり、ストッキングを二足と、編み上げのブーツをはき、おまけに毛糸の帽子と、襟巻きと――もう数えきれません。おかげで、家を出ないうちに窒息しそうになりましたけど、さいわいそのことを詮索しようとするひとはいませんでした。

（『アンネの日記―研究版』文芸春秋　一九九四年）

現代の日本でどうやったらアンネに近づけるか、はだしになったり肘をついたりという工夫は満島さん自身の提案だったそうです。声にも張りがあり、リズミカルで勢いがありました。好奇心旺盛で知的な少女が、息せき切って話しているかのようです。また、ともに隠れ家生活をしていた、ペーターとの淡い初恋が書かれたところは初々しく、アンネの胸のときめきが伝わってきます。満島さんにとって、朗読ははじめての挑戦だったということです。私は満島さんの朗読に新鮮な驚きを感じました。

映像に寄り添うナレーション

番組のナレーションを担当した私は、スタジオの小川洋子さんのお話や満島さんの朗読をいかすように、淡々とわかりやすく、内容が伝わる読みを心がけました。ナレーションは朗読とは違います。声だけで何かを表現する朗読に比べて、ナレーションには映像も音楽もあります。そのすべてが一体となって自然に視聴者のみなさんに伝わるように、映像に寄り添いながら高め合うことができたらと考えています。

授業でナレーションを体験してもらうと、なかなかうまくいきません。ある学生は、映像とは関係なく、いつもの自分の抑揚で読むので、声だけが浮いてしまいます。別の学生は声がしっかり出ていないので、映像に負けてしまって言葉が頭に入ってきません。そして、多くの人がむずかしいと言うのが、声を出すタイミングです。絵にぴったりあわせないといけないので、ナレーション収録には運動神経が求められます。ディレクターの指示を受け、瞬時に反応して素早く声を出さなければなりません。もたもたしていると次のシーンになってしまうので集中力も必要です。

薄暗い録音ブースのなかで、声のトーンや音色、「間」の入れ方や緩急など、一人で考え格闘します。それだけに、ナレーション収録が無事終わってブースを出ると、ほっとしてなぜかお腹が空いてきます。腹式呼吸で真剣に声を出し続けていたからなのでしょう。ちょうどスポーツをしたあとのような爽快感や充実感を味わうことができるのも、ナレーションです。

三つの『アンネの日記』

『アンネの日記』には三つのテキストがあります。世界中の人が長く読んできたのは、戦後たった一人生き残った父親のオットー・フランクが、一九四七年に原作を短く編集して出版したものです。アンネの才能を知って、十三歳の誕生日に赤いチェックの日記帳をプレゼントしたのも、オットーでした。

一九八〇年にオットーが亡くなって、アンネの手書きによるオリジナル原稿が、オランダ国立戦時資料研究所に遺贈されました。筆跡鑑定がおこなわれ、アンネ自身によって書かれた日記であることが判明しました。さらに、原作に当たる日記「aテキスト」の他に、ラジオ放送の呼びかけを受けてアンネ自身が編集した「bテキスト」のあることがわかったのです。一九八六年アンネ・フランク財団が、父親が出版した「cテキスト」も含め、この三つを載せた『アンネの日記　研究版』を刊行しました。

現在、それらをもとに改訂された『アンネの日記』が世界中で出版されています。アンネは「わたしの望みは、死んでからもなお生き続けること！」と書いていました。アンネの願ったように、アンネの言葉は原作に近い形で、今生きている世界の人に届けられています。

テキストa、b、cが三段になっている研究版を読むと、さまざまな発見があります。たとえば冒頭の十二箇条のビューティーポイントは原作のaテキストにのみあります。一方、隠れ家へ移動するときの「まるで北極探検にでも出かけるみたいに」という表現は、aテキストにはなく、bテキストとcテキストには共通してありました。

ナレーション収録の日には、この分厚い『アンネの日記　研究版』など、さまざまな資料を持ち込み、固有名詞や事実関係に間違いがないかをチェックしながら、わかりやすく伝えるようにみなで知恵を出し合いました。声に出して読むまえのこの作業で、作品をさらに深く読むことができるように思います。番組作りはディレクターや音声、編集、音響効果、ナレーターや出演者などがそれぞれの専門性を出しあい、チームで集中してものを創るところに仕事の楽しさや醍醐味があります。

収録後の思いがけない出会い

収録は無事終わり、番組の評判も上々でした。実はこの番組収録には後日談があります。放送直後、上野の美術館のロビーでぼんやりしていると、目のまえを満島ひかりさんと数人のグループが通ったのです。驚いた私は、

「満島さん、『アンネの日記』でナレーションを担当したアナウンサーの好本です。満島さんの朗読すばらしくて評判でした」

と、つい声をかけてしまいました。

「ありがとうございます。朗読とっても楽しかったです」

と、笑顔で答えてくれた満島さんは、キラキラした大きな瞳が印象的で、やはりアンネに似ているような気がしました。

最近では、スタジオのトーク、ナレーション、朗読は別々の日に収録されます。したがって、私たちはお互いの声で番組のなかでは出会っていましたが、直接会うのはその日がはじめてです。すばらしい作品にめぐり逢い、心に残る番組作りができた喜びを、思いがけず共有することができました。作品と向き合い格闘することで、いろいろな発見と驚き、出会いに恵まれる、ありがたいことだとつくづく思います。

三、舞台朗読の魅力〜新美南吉・金子みすゞ

趣味や仕事で長く朗読をしていると、舞台朗読に挑戦することもあると思います。そのような特別のときに、どうすればよい朗読ができるのでしょうか。

私は若いころから仕事で舞台に立つことがありました。現在もさまざまなコンサートや式典などの司会をしています。はじめてＮＨＫホールやオーチャードホールに立ったときは、緊張のあまり最初から最後まで声は上ずり、ステージの仕事はつくづく自分には不向きだと思ったものです。しかし、年齢とともに図々しくなるのか、このごろはとても楽しみな仕事になってきました。ただし、現在も暗い舞台袖で出番を待つあいだはかならずドキドキします。舞台監督の合図で、照明のあたったステージの上を、たった一人歩いて行き、決められた場所についたときは覚悟を決めますが、第一声はどうしても平常心では言えません。落ち着くまでにかかる時間は昔に比べるとずいぶん短くなりましたが、まったく緊張せずに舞台に立つのは無理だとなかばあきらめています。

それでも、舞台の仕事には一度経験すると、機会があればぜひしたいと思うふしぎな魅力があります。ステージの上では、だれもが普段は出せないような力が出るものです。ほどよい緊張感のなかで出演者全員が集中してベストをつくし、客席も笑顔で無事に終わったあと

は、司会者としてとても幸せな気持ちになります。

舞台朗読をはじめて体験したとき

そんな舞台が大好きな私ですが、朗読が中心のステージとなると少し事情が変わってきます。はじめて本格的な舞台朗読を体験したのはＮＨＫの先輩たちと活動した「ことばの杜」の太宰治生誕百年記念の公演のときです。このとき、緊張で口が渇くということをはじめて知りました。それまでの司会者としての私の役目は、ゲストが気持ちよく演奏や話ができるように流れを作って行くことです。その話や演奏がすばらしければ、お客様は満足です。

ところが、朗読がメインの舞台は、私たちの朗読のためにお客様はチケットを求め、わざわざ貴重な時間をさいて来てくださるのです。責任重大です。自分の朗読がつまらなかったらお客様に申し訳ないという気持ちが強く、それまで体験したことがないくらい緊張してしまいました。

さらに、その日は、最初に朗読する私のマイクのスイッチが、入っていなかったのです。すぐにマイクがオフであることがわかり、呼吸を整えて冒頭だけ読みなおしました。音声係りも気づき、スイッチを入れてくれました。マイクが入っていないという不測の事態で、かえって平常心を取り戻し、腹式呼吸の大切さを思い出したのです。終わったあとに、先輩から朗読の内容よりもその対応をほめられたのをよく覚えています。

舞台に出るときにはだれでも緊張します。数えきれないくらいのステージを経験してきた、世界的な指揮者や演奏家でも緊張しています。しかし、ベテランになればなるほど回復が早いといいます。私たちを緊張から救ってくれるのは腹式呼吸と、当日ならびに前日までの準備です。人間は少しでも不安なことがあると緊張します。当日の準備としては、舞台の照明やマイク、立ち位置や動きを入念に確認することが必要です。リハーサルでの直前の準備が不十分だと、本番でそわそわして落ちつきません。

準備がすべて

そして、前日までの準備は、何と言っても練習です。まあまあ納得いく朗読ができたなあと思うのは、原稿を覚えてしまうくらい読み込んだときです。そのためには、よく黙読して自分だけの書き込み台本を作ります。それを声に出して何度も練習し、録音します。最近は携帯電話の録画機能を使うとどこでも録音できるので便利です。台本を見ながら録音を聞きなおし、読み方を検討します。私は、「間」のとり方は十分か、緩急はふさわしいか、言葉の頭の音が不明瞭ではないか、必要もないのに一つの言葉を強く読んでないかなどを、チェックするようにしています。

書き込みの方法はそれぞれ自分のやり方があると思います。私は、強調したい言葉や、発音が不明瞭になりがちな言葉には波線や傍点で印をし、括弧でくくります。アクセントも確認し、固有名詞や読みにくい漢字にはふり仮名をふります。正確に間違いなく読もうとするあまりブツブツに切れてしまうことがあります。そうならないように、一息で読みたい意味のかたまりは大きな括弧でくくり、二行にまたがっている文は一行にまとめるように書き直しています。パソコンを使って行替えをし、自分だけの台本を作ることもよくあります。

本番中に小さなことが気にならないように、「間」を入れるところや、緩急なども自分なりの記号で書き込んでいきます。自分だけの台本を作ることで、作品をよりよく理解できますし、落ちついて朗読に集中できます。朗読をする人の原稿を見ると、こうした書き込みで真っ黒になっています。それは読み手が作品と格闘した痕跡なのです。大先輩たちも鉛筆と消しゴムで納得いくまで書き直しをしていました。その姿をみて、ベテランになっても同じなのだと思ったものです。

そして、気をつけたいのは、書き込みをした台本を決して忘れないようにすることです。舞台で朗読をする日は、荷物が多くなります。電子辞書や資料、のどあめ、水やスペシャルドリンク（私は余裕があるときは生姜入りレモンとハチミツの飲み物を作って持参します）、衣装や靴、マスク、筆記用具や化粧道具などでしょうか。それらを前日に用意しておくのですが、台本は出かける直前まで見なおすので、うっかり最後に忘れそうになります。実際に大先輩が忘れたことがありました。幸い家族が届けてくれましたが、台本が到着するまでの不安な気持ちで、どんなにか消耗してしまったことでしょう。その日の先輩の朗読は普段と変わらぬ落ちついたものでしたが、自分が忘れたらあんな風にできたでしょうか。

何があっても書き込みをした自分の台本と携帯電話は忘れないように、さらに、二時間まえには会場に入るように心がけています。会場に入ったら軽く食事をし、ゆっくり声を起こしていきます。直前にたっぷり食べて満腹だと、また声が寝てしまうのです。

事前の準備で作品をイメージする

事前の準備としては、作品を深く解釈するために作者について調べる、作品ゆかりの土地へ足を運び作品のイメージをふくらませる、関連の展覧会やイベントに出かけるなども積極的にしたいことです。

五年ほどまえに愛知県半田市の新美南吉記念館開館二十周年を記念した、新美南吉、金子みすゞ、宮澤賢治の「読み語りコンサート」に出演しました。この朗読イベントに先駆けておこなわれた新美南吉生誕百年記念事業では、半田市の小学生とのワークショップで新美南吉の生家や『ごんぎつね』に出てくる「赤い井戸」を見学し、ごんが最後に撃たれた「火なわじゅう」の模型を持ってみました。そうした現地での体験は、言葉をイメージするのを助けてくれます。

一字一句間違いなく読めているのに、それぞれの言葉の意味が頭に入ってこないことがあります。音は出ているのに言葉になっていないのです。ただ文字を追っているだけでは、寝ている文字が起きてきません。一つ一つの言葉が表しているものを、想像力をいかしてイメージし、動きや情景が目に浮かぶように読みたいと思います。どうしてもイメージがわかないときは、書かれている通りに自分でからだを動かしてみると実感できることもあります。読み手の豊かな想像力が、作品をリアルなものにしてくれます。擬音語・擬態語などのオノマトペも、想像力を駆使してその音や様子をイメージしながら読むことで、作者と読み手、さらに聞き手のイメージを合致させることができると思います。

読み語りコンサートの後半には、岩手県から宮沢賢治記念館、山口県から金子みすゞ記念館の関係者を招いてシンポジウムがおこなわれました。南吉、みすゞ、賢治、この三人の児童文学作家には共通点があります。三人とも大正時代の半ばから昭和にかけて、ふるさとを舞台に数多くの作品を創作しましたが、生前に発表された作品はほんのわずかでした。類まれな才能を持ちながら夭折し、亡くなったのちに作品が評価されました。

私はこの日の朗読で、できるだけ登場する人間や動物の気持ちになって読みたいと考えました。三人とも自分以外の人間、自然界の動物や虫、花や植物の立場になって考えることのできる作家でした。それが、共通の作品の魅力なのではないかと思ったからです。

たとえば、みすゞの作品に『積つた雪』という童謡詩があります。

積つた雪

金子みすゞ

上の雪
さむかろな。
つめたい月がさしてゐて。

下の雪
重かろな。
何百人ものせてゐて。

中の雪
さみしかろな。
空も地面《じべた》もみえないで。

（『空のかあさま　新装版　金子みすゞ全集・Ⅱ』ＪＵＬＡ出版局　一九八四年）

この作品でみすゞは、上と下だけでなくまん中の雪の気持ちも考えています。植物や雪にまで心があるという発想は、みすゞが育った山口県長門市仙崎の土地柄も影響しています。

仙崎は捕鯨の町でした。寺には鯨の位牌や墓があり、今も春には鯨法会《くじらほうえ》と呼ばれる法要がおこなわれているのです。『大漁』では、みすゞは人間に食べられる鰮の気持ちになっています。

大漁《たいれふ》　　金子　みすゞ

朝焼小焼《あさやけこやけ》だ
大漁《たいれふ》だ
大羽鰮《おほばいわし》の
大漁《たいれふ》だ。

濱《はま》は祭《まつ》りの
やうだけど
海《うみ》のなかでは
何萬《なんまん》の
鰮《いわし》のとむらひ
するだらう。

（『美しい町　新装版　金子みすゞ全集・Ⅰ』ＪＵＬＡ出版局　一九八四年）

『大漁』は、幻の童謡詩人といわれた金子みすゞがよみがえるきっかけになった作品です。現在では日本中のだれもが知っている金子みすゞですが、昭和五年に亡くなってから五〇年以上ほとんど忘れ去られていました。みすゞの詩をよみがえらせたのは、児童文学者の矢崎節夫さんです。私は、一九八三年（昭和五八年）の朝日新聞に「よみがえる幻の童謡詩人」という記事が載ったことを今でもよく覚えています。その少しまえに童謡詩を朗読する舞台で、矢崎さんとご一緒したからです。

ご自分でも童謡詩や児童文学を書かれ、現在は金子みすゞ記念館の館長でもある矢崎さんは、大学生だった一九六六年（昭和四一年）に『日本童謡集』でこの『大漁』に出会い、大きな衝撃を受け、金子みすゞさがしの旅を始めました。十六年にわたる執念の調査を続け、みすゞ直筆の三冊の詩集を見つけ出し、全集の発行にまでこぎつけたのです。

この日の会場には、金子みすゞの長女である上村ふさえさんがお越しくださり、会場の皆さんから大きな拍手がおくられました。ふさえさんは一九二六生まれで、三歳で母を亡くし、みすゞの母ミチの養女として育てられた方です。みすゞが子育てしながら、ふさえさんの言葉を書き残した手帳『南京玉―娘ふさえ・三歳のことばの記録』も心打つ一冊です。

舞台朗読の感動

さて、舞台での朗読会は多くの人の力を結集しなければできません。作品をどのような構成で朗読するのか、脚本家や演出家、プロの音楽家を迎えることもあります。これまでにチェロ、ピアノ、チェンバロやヴィオラ・ダ・ガンバなどの古楽器、ハープ、ウードという珍しい楽器とも共演をしました。フルオーケストラのまえで『魔法使いの弟子』を朗読したこともあります。演奏者と朗読者の呼吸が合い、生の楽器の音と人の声が響き合うとき魅力的な舞台になります。

舞台朗読では、衣装も大切です。東京文化会館小ホールで日本の古典作品を朗読したときには、古い時代の着物、「語りと音楽《大人のための》千一夜物語」をしたときはエキゾチックなアラビア風、「語りと音楽～《大人のための》ガリバー旅行記」では冒険家の雰囲気で、と知恵を絞りました。専門のスタイリストがついてくれる場合もありますが、自分で探さなければならないときが多いので、公演のスケジュールが決まるとすぐに衣装のことを考えます。

作品の雰囲気に合い、朗読しやすい着心地のよい衣装はなかなか見つからないものですが、あれこれ探し工夫するのもまた楽しみではあります。シューマンとクララ・シューマンの書簡を朗読したときはヨーロッパの雰囲気で、暑い季節には涼しげに、クリスマスには赤や緑のクリスマスカラーでと、来てくださる方が楽しめるように選びます。

舞台のセットは、シンプルにあくまでも朗読を助けるようにしたいものです。その他にも、照明や音響など、多くの人の力をかりて一つの舞台ができあがります。

そして、よい舞台にするためには、客席のお客様を味方につけるのも大切です。硬い雰囲気ではじまると、朗読も緊張のまま終わってしまいます。会場を見まわし、ゆったり呼吸をして自分がまず作品のなかに入ります。うまく読もうなどと気負わずに自然に声を出すと、緊張の糸がほどけてゆきます。読みすすめていくと、聞いてくださっている人と心を合わせて作品の世界を一緒に味わっているように感じる瞬間があります。そのようなときは、とても幸せで準備してよかったと思います。もっとも、そうした瞬間がある一方で、終わったあとは反省することばかりです。次こそは完璧なよい朗読がしたいとかならず思います。なかなか思うようにいかないところが、朗読の奥深さなのかもしれません。

機会があったら、勇気を出して舞台朗読にも挑戦してみてください。

四、声を磨く楽しさ〜無声化と鼻濁音

朗読をはじめると、日本語にはおもしろい特徴がいろいろあることを知り興味がひろがります。全体としてよい読みなのに、なにか気になる音があって、何だろうと集中して聞いてみると、「わたくし」の音がぎこちないことがありました。日本語の文章には「わたくし」はとてもよく出てきます。「わたくし」という言葉のなかの「く」の音が無声化されていないと、少し歯ぎれが悪くなってしまいます。『ＮＨＫ日本語発音アクセント新辞典』では、無声化する音は「ク」と、点線で囲まれています。

「私は、菊が好きです」
「ワタクシワ、キクガスキデス」

共通語では、点線の丸で囲まれたところは、声帯を振動させずに息だけで発音する現象がみられます。「〜です」「〜ます」という文末の「す」も無声化します。無声化が実感できない方は、のどに両方の手をあてて次のように言ってみてください。
「静かにしてください。シー」

前半は手に振動が伝わってきます。これは声帯が振動した「有声音」です。後半の「シー」のときだけ、振動していないのがわかると思います。これが「無声化」という現象です。関東圏の人は意識せずに出せますが、関西出身の人は無声化について考えたこともなかったといいます。一定の法則や例外もありますが、無声化するかどうかはっきりしない場合はアクセント辞典で確認するとよいと思います。そして、練習して身につけると全体が歯ぎれよく軽やかな音になります。なお、アクセント辞典の中には、無声化する音を「◌」ではなく細字にして区別しているものもあります。

鼻濁音を意識したい

一方、日本語の音をやさしくなめらかにするのは鼻濁音です。鼻濁音は、が行のやや鼻にかかった音で、「カ」に半濁点「゜」のついた「カ゚」という文字を用いています。先ほどの例文「ワタクシワ、キクカ゚スキデス」の「か゚」です。

「がっこう」のように、語頭（語の頭）は濁音ですが、「しょうか゚っこう」などのように語中や語末にある濁音は鼻音化します。元号は「げんこ゚う」です。「のき゚く」「おりか゚み」「たまこ゚」「ありか゚とう」なども鼻濁音にするとやさしい響きになります。基本的な原則はこの二つです。

①格助詞や接続詞の「が」は鼻濁音になる
②語頭は濁音、語中や語尾は鼻濁音になる

しかし、例外があって少しややこしいと感じるかもしれません。「ごとく」「ぐらい」は語頭なのに鼻濁音です。外来語や数詞は濁音ですが、これにも例外があり、子どものお祝い「七五三（しちごさん）」や「十五夜（じゅうごや）」などのように、頻繁に使われる言葉は鼻濁音になる傾向があります。また「キング（きんぐ）」などのように、原音が鼻音の外来語はそのまま鼻濁音です。迷ったときはアクセント辞典をひいて「か」と半濁点があったら鼻に抜けるような音にしましょう。鼻濁音はどうやって出せばよいのかわからない場合は「んが」「んご」「んげ」というように「ん」をまえに入れて発音する、または英語で「ｇｏｉｎｇ」を言ってみると鼻にかかる音が実感できると思います。

鼻濁音は現代の日常生活では使われることが少なくなっています。このままでは、鼻濁音は日本語から消えてしまうと心配する人もいます。鼻濁音が衰退したのはいつごろからなのでしょうか。戦前の放送では、鼻濁音を用いるのが当然と考えられていたようです。当時のアナウンサーの採用試験にも、鼻濁音と濁音をきちんと区別して発音できるかを判定する問題が出題されました。しかし、一九三六年（昭和一一年）には日本放送協会の放送用語委員会が「ガ行半濁音の発音法則」という鼻濁音についての規範を掲げています。規範が必要だったことからも、すでにこのとき鼻濁音が衰退しつつあったことがわかります。

その後八十年以上たちますが、鼻濁音を用いる人はさらに減っています。全国的には、東日本や東北地方では鼻濁音をよく用い、九州、高知、愛媛、香川、山口、島根、新潟、群馬のあたりでは鼻濁音はほとんど使われないという調査もあります。私のまわりでは九州の方はむずかしいとおっしゃいます。

鼻濁音はこの発音のみが絶対的に優れていて、それでなければ間違いであるというものではありません。しかし、歌を歌うとき、短歌や俳句などの詩歌、古典作品を朗読するときは、ぜひ鼻濁音で表現したいものです。聞き手にとって心地よいだけでなく、鼻濁音の鼻に抜けた音で読むと自分でも気持ちがよいものです。このうつくしくやさしい響きが、日本語にあることを忘れないためにも、私はできれば鼻濁音をきれいに出したいと常に願っています。家族にも鼻濁音についてはつい細かく指摘してしまいます。話の内容も聞かずに鼻濁音を直してばかりいる、と子どもにいやがられたこともありました。

しかし、正直に言いますと、私自身も完全に出るわけではありません。自分が司会をした番組を見て、「鼻濁音が出てない」とがっかりすることがあります。ですから、ナレーションや朗読のときは、原稿に印をして、意識して鼻濁音を出すように努めています。どのアクセント辞典にも半濁点の印がありますので、迷ったらその都度ひいてみるとよいと思います。

連濁もおもしろい

さらに、濁音でおもしろいのは連濁《れんだく》という現象です。だれでも「すし」は清音で言うのに「回転ずし」というときはあたりまえのように濁った音で言います。これが連濁という現象です。二つの語が結びついて一語になる際に、後ろの語の頭の音が濁音に変化します。

かいてん＋すし↓かいてんずし（回転ずし）

連濁の研究者であるティモシー・J・バンスさんによれば、アメリカでは回転ずしの看板は「ＫＡＩＴＥＮ　ＳＵＳＨＩ」と濁らないローマ字で書かれています。もし「ＫＡＩＴＥＮ　ＺＵＳＨＩ」と濁音で書いてあったら、日本語を知らないほとんどのアメリカ人は何のことかわからないのだそうです。

かぶしき＋かいしゃ↓かぶしきがいしゃ（株式会社）
ふうふ＋けんか↓ふうふげんか（夫婦喧嘩）
の＋きく↓のぎく（野菊）

これらも連濁です。なお、カ行の連濁は原則として鼻濁音になりますので、「かぶしきかいしゃ」「ふうふぷげんか」「のぎく」と鼻に抜けるやわらかい音です。夫婦げんかも濁音ではなく、鼻濁音で表現すると優雅なケンカに聞こえてくるからふしぎです。

しかし、なぜ「かぶしきかいしゃ」「ふうふけんか」「のきく」とは言わないのでしょうか。どのようなときに濁り、どのようなときに濁らないのか、この連濁について完全には解明されていないようです。ティモシー・J・バンスさんはアメリカミネソタ州の出身で、流ちょうな日本語をお話しになります。来日して約三〇年、連濁について国立国語研究所や大学で研究を続けています。

連濁は、「ｒｅｎｄａｋｕ」で通じるほど、世界中の言語学者に知れ渡っているそうです。世界の人から見ても、日本語は調べれば調べるほどおもしろく、ふしぎな現象のある言語なのでしょう。声に出して読むことで、日本語そのものにも興味がわいてきます。

第四章

朗読公演や文学館で発見する

一、朗読公演へ行く〜今こそ小泉八雲の作品を

二〇一九年秋、「小泉八雲　朗読のしらべ」アメリカツアーが開催されたというニュースを見ました。この公演は、二〇〇六年から毎年松江や銀座をはじめ、日本各地でおこなわれてきたものです。八雲のふるさとであるギリシャやアイルランドにおける海外公演では、日本語にもかかわらず、言葉や文化の壁を超えて高い評価を得ました。今回は八雲の渡米一五〇年を記念してアメリカ三都市で開催され、大好評だったということです。ラフカディオ・ハーンは、一五〇年まえにアメリカにわたり、その後一八九〇年に横浜に到着しました。松江で小泉セツと結婚し、小泉八雲として多くの作品を残しました。一人の作家の作品が時間と空間を超えて、現在も世界の人々をつないでいます。

私は、数年まえに神在月の松江で、この朗読公演のシリーズを鑑賞することができました。前半は小泉八雲のひ孫で民俗学者の小泉凡さんの講演、後半は松江市出身の佐野史郎さんの朗読と山本恭司さんのギター演奏です。毎年テーマは変わりますが、怖い話や、ふしぎな話、心にしみる話など八雲の世界を声で伝えます。佐野さんの一人芝居のような迫力ある語りと、山本さんのロックギターの強烈な音色が響き合い、これまで味わったことのない世界に魅了されました。客席の皆さんの感情は大いに揺さぶられ興奮状態にあるなか、最後は佐野さん

と山本さんのギター、それに小泉凡さんのキーボードも加わって、アイルランド民謡が演奏されます。のんびり温かいメロディーにほっとして会場を出ると、外の景色が現実ではないような幻想的なものに感じられました。

佐野さんは八雲を敬愛し、その朗読をライフワークにしています。作品の朗読や公演の様子は、松江市内の小泉八雲記念館の展示室でも聞くことができます。

『日本の面影』の魅力

この松江での朗読会にぜひ行ってみたいと思ったのは、NHK『一〇〇分de名著』で『日本の面影』のナレーションを担当したからです。小泉八雲といえば、『むじな』『耳無し芳一』『雪女』などを収めた『怪談』で知られていますが、日本文化を独自の観察眼で記した紀行文『日本の面影』は、現代の日本に住む私たちが読むと、さまざまな発見があるすばらしい作品です。この番組での朗読も佐野史郎さんでした。松江の舞台のときとは雰囲気が異なり、紀行文にふさわしく格調の高い淡々とした朗読です。「神々の国の首都」の章には、庶民の誠実でつつましい暮らしぶりが、いきいきと描かれています。

松江の一日は、寝ている私の耳の下から、ゆっくりと大きく脈打つ脈拍のように、ズシンズシンと響いてくる大きな振動で始まる。柔らかく、鈍い、何かを打ちつけるような大きな響きだ。その間の規則正しさといい、包みこんだような音の深さといい、音が聞こえるというよりも、枕《まくら》を通して振動が感じられるといった方がふさわしい。その響きの伝わり方は、まるで心臓の鼓動を聴いているかのようである。それは米を搗《つ》く、重い杵《きね》の音であった。（中略）一定のリズムで杵が臼を打ちつけるその鈍い音は、日本の暮らしの中で、最も哀感を誘う音ではないだろうか。この音こそ、まさにこの国の鼓動そのものといってよい。

（ラフカディオ・ハーン　池田雅之訳『新編　日本の面影』角川ソフィア文庫　二〇〇〇年）

日本文化の根幹には、米があったのだと改めて思います。禅寺の梵鐘《ぼんしょう》の音、物売りの「大根《だいこ》やい、蕪《かぶ》や蕪」の哀調を帯びた声など、暮らしのはじまりを告げる早朝の物音に起こされて障子を開け放つと、絵巻物のような世界が目に入ってきたと書かれています。

ああ、なんと心惹《ひ》かれる眺めであろうか。眠りそのもののような靄《もや》を染めている、朝一番の淡く艶《つや》やかな色合いが、今、目にしている霞《かすみ》の中へ溶けこんでゆく。はるか湖の縁《ふち》まで長く伸びている、ほんのり色づいた雲のような長い霞の帯。それはまるで、日本の古い絵巻物から抜け出てきたかのようである。

この翻訳は早稲田大学名誉教授の池田雅之さんです。この番組の指南役でもありました。池田さんは、『Glimpses of Unfamiliar Japan（知られぬ日本の面影）』という作品集は「ハーンの印象派風の言語芸術家《ワードペインター》としての美意識と、足で稼ぐルポライター的な活力《エネルギー》と、さらには民俗学者的な特異な嗅覚《きゅうかく》とが、混然《こんぜん》一体となった仕事《ワーク》」だと評価しています。しかし、原文はきわめて装飾の多い、凝った文体で、それをわかりやすく翻訳するにはかなりご苦労があったそうです。『新編　日本の面影』から八雲が柏手《かしわで》の音に感動するシーンです。

やがて、わが家の庭が接する川岸から、柏手《かしわで》を打つ音が聞こえてくる。パン、パン、パン、パンと四回ほど鳴ったが、それが誰の柏手であるかは、低木の植え込みに遮られて見えない。だがそのとき、大橋川の対岸の波止場の石段を降りていく男女の姿が見えた。誰もが、小さな青い手拭《てぬぐい》を腰に引っかけている。そして、顔や手を洗い、口をすすいでいる。それは神道でお祈りの前にする、慣例のお清めである。

それから、彼らは顔を太陽の方へ向け、柏手を四度打ってから拝んでいる。長くて高い白い橋からも、同じように柏手を打つ音が聞こえてくる。また、新月のように反り上がった、軽やかな美しい船からも、あちらこちらから木霊《こだま》のように柏手の音が響き合っている。その風変わりな船の上では、手足をむき出しにした漁師が立ったまま、黄金色の東の空に向かって首《こうべ》を垂れている。

柏手の音はどんどん増えていき、しまいには一斉に鳴り響く鋭い音が、ほとんどひっきりなしに続いて聞こえる。町人はみな、お日様、つまり光の女神であられる天照《あまてらす》大御神《おおみかみ》を拝んでいるのである。

「こんにちさま。日の神様よ、今日もようこそお出まし下さいました。この世界を美しく照らして下さる、そのお光のお恵みに感謝申し上げます」。特に言葉にしなくとも、無数の心がそう語っているにちがいない。

この部分で、私は、昔から日本人が太陽を「おひさま」と敬称をつけて呼ぶ背景、日ごろ何気なくしていた柏手を打つ、手を合わせて拝むということの意味を改めて考えました。八雲の文章は、私たちがあたりまえのことだと見過ごしてきた日本人の美徳や、暮らしのなかにいきる信仰心、日本の伝統的な自然のうつくしさに、改めて気づかせてくれます。八雲の文学は、耳の文学であるといわれます。八雲は五感のなかでも耳から入る音に、ことのほか繊細な感覚を持っていたようです。あの『怪談』も、夫人のセツから耳で聞いた日本の怪異・伝承を文学的作品として英語で書いたものです。

夫人の記した『思い出の記』によれば、本を見ながら話すと八雲は「本を見る、いけません。ただあなたの話、あなたの言葉、あなたの考えでなければ、いけません」と、物語を自分の言葉で話してほしいと望んでいたそうです。二人は「ヘルン語」と呼ばれる独特な日本語でコミュニケーションをとっていました。松江では、今も小泉八雲はハーンではなく、ヘルンさんとして親しまれています。

「オープンマインド」（開かれた精神）

それにしても、八雲の直観的で深い洞察力におどろきます。そして、八雲にとっては異文化である日本に対する接し方に偏見がなく、やさしく柔軟なのがわかります。ギリシャからアイルランドのダブリン、イギリス、アメリカ、カリブ海のマルティニーク、バンクーバーを経て、日本へたどり着いた小泉八雲は、どの民族のだれに対しても、ときには異界のお化けや妖怪に対してさえも、常にオープンマインド（開かれた精神）を持っていました。

だれでも、若い人の考えはわからない、自分はこの人とは住む世界が違うと決めつけてしまうことがあると思います。八雲は、未知の世界に壁をつくり拒否するのではなく、温かいまなざしと好奇心で、心から感動し共鳴しています。まったく偏見や先入観のない八雲のような姿勢が現代の私たちにもあれば、きっと異文化理解は深まり、だれもが平和に暮らせるのではないでしょうか。

そして、八雲は子どもたちに対しても常にオープンマインドで接していたのでしょう。松江、熊本、東京と移りながら、わかりやすい講義と人柄で教え子から慕われた教師でした。『日本の面影』のなかの「英語教師の日記から」の章や『小泉八雲東大講義録』（角川ソフィア文庫）で、その様子がわかります。

池田雅之さんは、異文化コミュニケーションの研究をすすめるかたわら、NPOの活動を通して八雲の子どもに向き合う教育方針を実践してきました。その活動「鎌倉てらこや」は、子どもの生きる力を育む地域プロジェクトで、関東各地の大学生が主体となって、鎌倉のお寺で「朗読体験」「稲作体験」「建長寺合宿」などをおこなっています。その「朗読体験」を見学し、のんびりした雰囲気のなかで、子どもも大学生も大人も楽しそうに学び合っている姿に感動した私は、思い切って池田研究室を訪ねました。そして、勤めている十文字学園女子大学での講演会を企画しました。

二〇一六年十月「小泉八雲と地域づくり・人づくり」というタイトルで、松江から小泉凡さんにもおいでいただき、贅沢な講演会が実現しました。小泉凡さんは、島根県立大学名誉教授で小泉八雲記念館の館長です。文化資源を発掘し観光にいかす実践研究や、子どもの五感力育成をめざすプロジェクト「子ども塾」の塾長としての活動もなさっています。

お二方の講演会が実現し、私は胸が一杯でした。前半は、お二人の研究や活動についてお話をうかがいました。小泉凡さんのやわらかい語り口を聞いていると、八雲の声が聞こえてくるようです。後半の鼎《てい》談でオープンマインドについてじっくりお話をお聞きしたかったのですが、時間が足りず、少し悔しい思いも残りました。それでも、お二人の温かいお人柄が会場をやさしく包み、笑顔あふれる講演会になりました。

現在の日本は、一〇〇年まえに小泉八雲が描いた日本の姿と同じところもあれば、大きく変わったところもあります。朗読をなさっている佐野史郎さんは「小泉八雲の物語を声を通してお伝えすることで、すなわち、今生きているこのからだのなかで、二つの時間を同時に体感していただくことで、何が同じで何が変わっているのか、そして何を大事にしていくのかを、お客さんと分かち合いたいという気持ちが強いです」とインタビューで答えています。

読むことで日本と自分のことを見つめなおすことができる。それが、この作品の魅力なのだと思います。朗読するときも、自分の五感を解き放ち、自由なやわらかい感覚で味わいたいと思います。

二、文学館へ行く～与謝野晶子

横浜にある神奈川近代文学館は訪れるのが楽しみな場所です。「港の見える丘公園」のなかにあるので花や木々がうつくしく、夏目漱石が漱石山房で使っていた品々はここに遺贈され常設展示されています。また、意欲的な企画展や朗読会、講演会もおこなわれています。二〇一八年には「生誕一四〇年　与謝野晶子展　こよい逢ふ人みなうつくしき」が開催されました。歌人、教育者、女性、妻、母としての全ての仕事が網羅された展示で、晶子のひたむきなエネルギーに圧倒されました。

会場いっぱいの展示のなかで、思わず足が止まったのは『みだれ髪』初版本の奥付に、本人が赤い字で訂正をいれたものでした。私は、奥付に「著作者　鳳昌子」とあるのが、以前から気になっていました。「鳳」は与謝野晶子の旧姓ですが、なぜ「晶子」でなく「昌子」なのかとふしぎに思っていたのです。与謝野鉄幹が結成した東京新詩社で発行した歌集なのに、このようなことがあるのでしょうか。研究者によってそのわけはすでに解明されているのかもしれません。理由は何であれ、晶子自身が赤いインクで「昌子」を消し「晶子」と書き直しているのを見ると、誤植を残念に思う晶子の気持ちが伝わってきました。

堺の老舗和菓子商の三女として誕生し「いとはん」として親の厳しい監視のもとで育った

晶子が、単身上京し鉄幹の家に身を寄せたとき、父親からは七生までの義絶を言い渡されたといいます。上京から二か月後に刊行された『みだれ髪』は晶子にとっては特別な第一歌集です。うつくしい表紙と挿絵は藤島武二によるもので、表紙裏に黄色い文字でこう説明されています。

この書の體裁は悉く藤島武二先生の
意匠に成れり
表紙畵みだれ髪の輪廓は戀愛の矢の
ハートを射たるにて矢の根より吹き
出でたる花は詩を意味せるなり

（『みだれ髪』東京新詩社　一九〇一年　名著複刻全集　日本近代文学館）

晶子の作品は、和歌という伝統表現を駆使しながら、女性の自我の解放を大きなスケールで詠んでいます。大胆で自由な作風は人々を驚かせ、当時の文壇では賛否両論の大反響でした。作品からは、百年以上たった現代でも新鮮な衝撃を受けます。なかにはあまりに情熱的で、声に出して人のまえで読むのは少し気恥しい作品もあります。歌は真実の思いを自由に詠むものであるという晶子の精神は、現代歌人にも確実に受け継がれていると思います。

短歌をどう読むか

短歌は声に出してこそ味わいが深くなるものです。しかし、どのように読めばよいのでしょうか。お正月の百人一首の読み上げのような抑揚をつけて読むのか、宮中の歌会始のように読むのか、わかりやすく現代詩のように読むのか迷います。そのなかで、番組で何度かご一緒した、歌人の馬場あき子さんが短歌朗読をなさるときは、うっとり聞き入っていました。豊かな張りのある声は、謡を長くなさっていただけに、九十一歳の現在も変わりません。七五調の伝統的な読みでありながら、言葉の意味がとてもよく伝わってきます。能や民俗学の研究でも知られる馬場さんは、短歌が五七五七七の型の文学、芸術であることに注目されます。短歌、俳句、能、歌舞伎も型です。「型の文学や芸術は型によって自分を磨くしかない、どうやって型をいかすかを考えていかなければ」とおっしゃっていました。

私たちが短歌を朗読するときも、短歌の型ということを意識したいと思います。ゆったりと呼吸をし、自分の体内にある七五調のリズムを思い出すように調べを大切に読んでみましょう。しかし、意味も考えずにただ調べにのせるのではなく、内容が聞き手に伝わるように読みたいものです。作者の意図通りに過不足なく内容を伝えるという方針は、韻文も散文も変わりません。作品をよく読み込み、自分なりの解釈にそった読み方を工夫したいと思います。

ここでも大切なのは「間」です。五七五の上《かみ》の句のあとに大きな間を入れる三句切れもあれば、初句切れでしっかり「間」を入れた方が、強さが出る場合もあります。

清水《きよみづ》へ祇園《ぎをん》をよぎる櫻月夜《さくらづきよ》こよひ逢ふ人みなうつくしき
くろ髪の千すぢの髪のみだれ髪かつおもひみだれおもひみだるる
その子二十《はたち》櫛にながるる黒髪のおごりの春のうつくしきかな
經《きやう》はにがし春のゆふべを奥の院の二十五菩薩歌うけたまへ

（『みだれ髪』東京新詩社　一九〇一年　名著複刻全集　日本近代文学館）

はじめの二首は、五七五のあとで切れる標準的な三句切れですので「桜月夜」「みだれ髪」の直後に大きく「間」を取り、下《しも》の句は流れるような調べで読みたくなるはずです。このように「間」を入れて読んでみてください。

清水《きよみづ》へ祇園《ぎをん》をよぎる櫻月夜《さくらづきよ》　こよひ逢ふ人みなうつくしき
くろ髪の千すぢの髪のみだれ髪　かつおもひみだれおもひみだるる

一方、後半の二首は、作者が強く主張していると思われる言葉「二十《はたち》」「にがし」のあとに大きな「間」を入れることで、思いの強さや恋の高揚感が伝わります。その後、なめらかにつなげて読めば、内容も伝わりやすくなるのではないでしょうか。つまり、このような「間」です。

その子二十《はたち》　櫛にながるる黒髪のおごりの春のうつくしきかな

經《きやう》はにがし　春のゆふべを奥の院の二十五菩薩歌うけたまへ

短歌は言葉だけでものを言うのではなく、言葉と言葉のあいだにある「空白」でものを言う文学だといいます。思い切った大きな「間」で聞き手のイメージが膨らむのを待ちます。「間」を空けても、そこで音が下がりブツブツと息が途切れるのではなく、全体がつながっていくような音の高さと息づかいで読むと調べが生まれてきます。

さらに、短歌が「うた」といわれるように、読むというより歌うような気持ちでお腹から声を出し、からだに響かせるようにすると作品の魅力をより深く伝えられるように思います。また、日本の伝統的な詩歌だけに、短歌は鼻濁音が出ていないと目立ちます。「よぎる」「ながるる」「にがし」などは、鼻に抜けるやわらかい音で読みたいものです。「ぎ」「が」と印をしておきます。

『ひらきぶみ』の潔さ

『みだれ髪』と並んで、多くの人に知られる晶子の作品といえば『君死にたまふこと勿れ』です。第二次世界大戦後、反戦詩として注目されたこの作品は、実は日露戦争中の発表で、当時は危険思想であると批判されました。雑誌『太陽』の大町桂月による厳しい批判に対して、晶子は『明星』に鉄幹への書簡という形で『ひらきぶみ』を発表し、反論しています。その潔さがみごとに書かれている部分です。この文章を朗読するときは、強さを秘めた粘りのある読みがふさわしいと思います。

歌は歌に候。歌よみならひ候からには、私どうぞ後の人に笑はれぬ、まことの心を歌ひおきたく候。まことの心うたはぬ歌に、何のねうちか候べき。まことの歌や文や作らぬ人に、何の見どころか候べき。長き〲年月《としつき》の後まで動かぬかはらぬまことのなさけ、まことの道理に私あこがれ候心もち居るかと思ひ候。

（『定本　與謝野晶子全集』第十二巻　講談社　一九八一年）

繰り返される「まこと」という言葉から、歌人としての、また表現者としての覚悟が伝わってきます。鉄幹への書簡という形で書いたのは、当時の世論を考えてのことでしょうか。

その鉄幹は、『明星』終刊後、不遇の日々を過ごしていました。夫を渡欧させようと資金を捻出するための「百首屛風」も展示されていました。百首を数えるのに、子ども達も協力したといいます。その後渡欧した鉄幹を追って、晶子はシベリア鉄道経由でフランスに行きます。真っ赤なヒナゲシが一面に咲く情景を思い浮かべながら、はればれと読みたいものです。

ああ皐月《さつき》佛蘭西《フランス》の野《の》は火《ひ》の色《いろ》す君《きみ》も雛罌粟《コクリコ》われも雛罌粟《コクリコ》

（『定本　與謝野晶子全集』第三巻　講談社　一九八〇年）

ヨーロッパで大いに刺激を受けながらも、日本に残してきた子どもたちのことが気になって晶子は一人帰国します。十一人もの子を産み育てた晶子の、子育て短歌にも共感できます。

子《こ》らの衣《きぬ》皆新《みなあた》らしく美《うつ》くしき皐月一日《さつきついたち》花あやめ咲《さ》く

腹立《はらだ》ちて炭《すみ》まきちらす三《み》つの子《こ》をなすにまかせてうぐひすを聞《き》く

（『定本　與謝野晶子全集』第二巻　講談社　一九八〇年）

小さな子どもは思い通りにはいきません。「まあ、しょうがない」と、叱りもせず鶯を聞いている母親の姿が浮かびます。晶子は、評論活動や、女子教育にも力を入れました。『青鞜』創刊号には、平塚らいてうからの強い依頼で晶子の詩が、巻頭に載っています。高村智恵子のデザインによる『青鞜』の表紙をめくると、晶子の十二連からなる詩『そぞろごと』が目に入ってきます。

そぞろごと

○

山の動く日來《きた》る。
かく云へども人われを信ぜじ。
山は姑《しばら》く眠りしのみ。
その昔に於て
山は皆火に燃えて動きしものを。
されど、そは信ぜずともよし。
人よ、ああ、唯これを信ぜよ。
すべて眠りし女《をなご》今ぞ目覺めて動くなる。

○

一人稱《いちにんしょう》にてのみ物書かばや。
われは女《をなご》ぞ。
一人稱にてのみ物書かばや。
われは。われは。

（後略）

（『青鞜』一巻一號　青鞜社　一九一一年　復刻版　不二出版）

女性が一人称でものを書くことが普通でなかった時代だからこそ「一人称にてのみ物書かばや」には晶子の強い思いが込められているように感じます。

晩年の晶子は三度目の『源氏物語』の現代語訳に精力的に取り組んでいました。私は、生家のあった堺市の与謝野晶子記念館を訪ね、晶子自身の『源氏物語』の朗読を聞くことができました。録音された声は高く、短歌を読むときのような調べで朗読していました。そして物語の情景がいきいきと目に浮かぶような読みだったのが印象的です。また、記念館には著名な画家たちが装幀をしたうつくしい歌集が数多く展示されていました。装幀にもこだわったのは、鉄幹の「後世に残るものでなければ」という考え方によるということです。

晶子は真剣に恋をして、十一人の子を育て、自分の才能を存分に花ひらかせ、子や孫に囲まれて大往生を遂げました。そして、女性の解放と、詩の豊かさを広げるため、画期的な仕事をした人物として、現在も歌人だけでなく多くの人々に影響を与え続けています。

三、古典作品を朗読する～樋口一葉

川端康成は、古典作品を声に出して読むことについて、一九五〇年（昭和二五年）に『新文章讀本』の「まへがき」にこう書いています。


少年時代、私は「源氏物語」や「枕草子」を讀んだことがある。手あたり次第に、なんでも讀んだのである。勿論、意味は分りはしなかつた。ただ、言葉の響や文章の調を讀んでゐたのである。

それらの音讀が私を少年の甘い哀愁に誘ひこんでくれたのだつた。つまり意味のない歌を歌つてゐたやうなものだつた。

しかし今思つてみると、そのことは私の文章に最も多く影響してゐるらしい。その少年の日の歌の調は、今も尙、ものを書く時の私の心に聞えて來る。私はその歌聲にそむくことは出來ない……。

右は、古い私の文章の一節であるが、讀みかへしていま、文章の祕密もそこにあるかと思ふのである。


（『川端康成全集』第三十二巻　新潮社　一九八二年）

少年時代に手あたり次第に音読した古典作品の響きや調べが、川端康成のうつくしい文章にもっとも大きな影響を与えているのだということを知り、改めて声に出して読むことの大きな意味を考えました。

古典作品はどう読んでよいのかわからないが、うまく読めたら、さぞかし気持ちがよいであろうと憧れている人が多いようです。一人では歯が立たないと思う作品でも、仲間と知恵を出し合いながら取り組めば楽しさも増します。これまで、授業や朗読教室では『徒然草』『枕草子』『方丈記』『おくのほそ道』などの古典作品や、『たけくらべ』『五重塔』などの明治の作品を取り上げてみました。そのなかで、古い時代の作品こそ声に出して読まないと、真の姿やうつくしさを堪能できないと感じています。

これらの作品を朗読するとき心がけることは何でしょうか。私は、古典作品でも現代文でも、基本的には変わりないと思います。大事なのは、聞き手にわかりやすく作品の内容を伝えることです。そのために、声を出すまえに、わからない言葉を古語辞典などで調べ、作者や作品の背景をさぐり、内容の理解に努めます。現代語訳や解説本が出ている場合はそれを参考にしますが、本や研究者によって解釈も異なるので、比較しながら下読みをします。声を出すまえの下調べは少し面倒ですが、その作業によって作品に親しみがわき、一字一句を大切に思う気持ちが生まれてきます。

学生時代の古典の授業では、内容より文法のほうが重要でした。大人の朗読は作品を大きくとらえて、内容を味わいましょう。若いころと違いさまざまな経験を重ねたからこそ、共感できるところもあって新鮮です。

『たけくらべ』を読む

樋口一葉の『たけくらべ』は、森鷗外や幸田露伴などの文豪が激賞した作品です。鷗外は一葉を「まことの詩人」とまで言っています。有名な書き出しの部分を読んでみましょう。

　廻《まわ》れば大門《おほもん》の見返《みかへ》り柳《やなぎ》いと長《なが》けれど、お齒《は》ぐろ溝《どぶ》に燈火《ともしび》うつる三階《がい》の騷《さわ》ぎも手《て》に取《と》る如《ごと》く、明《あ》けくれなしの車《くるま》の行來《ゆきゝ》にはかり知《し》られぬ全盛《ぜんせい》をうらなひて、大音寺前《だいおんじまへ》と名《な》は佛《ほとけ》くさけれど、さりとは陽氣《ようき》の町《まち》と住《す》みたる人《ひと》の申き、三嶋神社《みしまさま》の角《かど》をまがりてより是《こ》れぞと見《み》ゆる大厦《いゑ》もなく、かたぶく軒端《のきば》の十軒長屋《けんながや》二十軒長《けんなが》や、商《あきな》ひはかつふつ利《き》かぬ処《ところ》とて半《なかば》さしたる雨戸《あまど》の外《そと》に、あやしき形《なり》に紙《かみ》を切《き》りなして、胡粉《ごふん》ぬりくり彩色《さいしき》のある田樂《でんがく》みるやう、裏《うら》にはりたる串《くし》のさまもをかし、一軒《けん》ならず二軒《けん》ならず、朝日《あさひ》に干《ほ》して夕日《ゆふひ》に仕舞《しま》ふ手當《てあて》こと〴〵しく、一家内《かない》これにかゝりて夫《そ》れは何《なに》ぞと問《と》ふに、知《し》らずや霜月酉《しもつきとり》の日例《ひれい》の神社《じんじや》に欲深樣《よくふかさま》のかつぎ給《たま》ふ是《こ》れぞ熊手《くまで》の下《した》ごしらへといふ、正月門松《しょうぐわつかどまつ》とりすつるよりかゝりて、一年《ねん》うち通《とほ》しの夫《そ》れは誠《まこと》の商賣人《しょうばひにん》、片手《かたて》わざにも夏《なつ》より手足《てあし》を色《いろ》どりて、新年着《はるぎ》の支度《したく》もこれをば當《あ》てぞかし、南無《なむ》や大鳥大明神《おおとりだいめうじん》、買《か》ふ人にさへ大福《だいふく》をあたへ給《たま》へば製造《せいぞう》もとの我等萬倍《われらまんばい》の利益《りゑき》をと人ごとに言《い》ふめれど、さりとは思《おも》ひのほかなるもの、此《この》あたりに大長者《だいちょうじゃ》のうわさも聞《き》かざりき、

（『樋口一葉全集』第一巻　筑摩書房　一九七四年）

一葉は、下谷龍泉寺町で荒物駄菓子店をひらき、生計を立てていた時期がありました。作品には明治二十年代の東京吉原大門の近くで生きている貧しい庶民の暮らしがいきいきと描かれています。ここは文章の勢いをそのままいかし、この土地を訪れたことのない読者に報告するような気持ちで読みたいと思います。

学生時代にゼミの教授に連れられて、吉原界隈の文学散歩に行ったことがありましたが、物語の世界は実感できませんでした。その後、放送局に就職し、「霜月酉《とり》の日」に鷲《おおとり》神社から実況中継することになったのです。「欲深様《よくふか》のかつぎ給ふ熊手」がならぶ露店で、商売繁盛を願う「パパパン、パパパン、パパパンパン」という手締めが響く、酉の市のにぎやかな光景を目の当たりにしました。このとき『たけくらべ』に描かれている世界を少しだけイメージできたような気がしました。

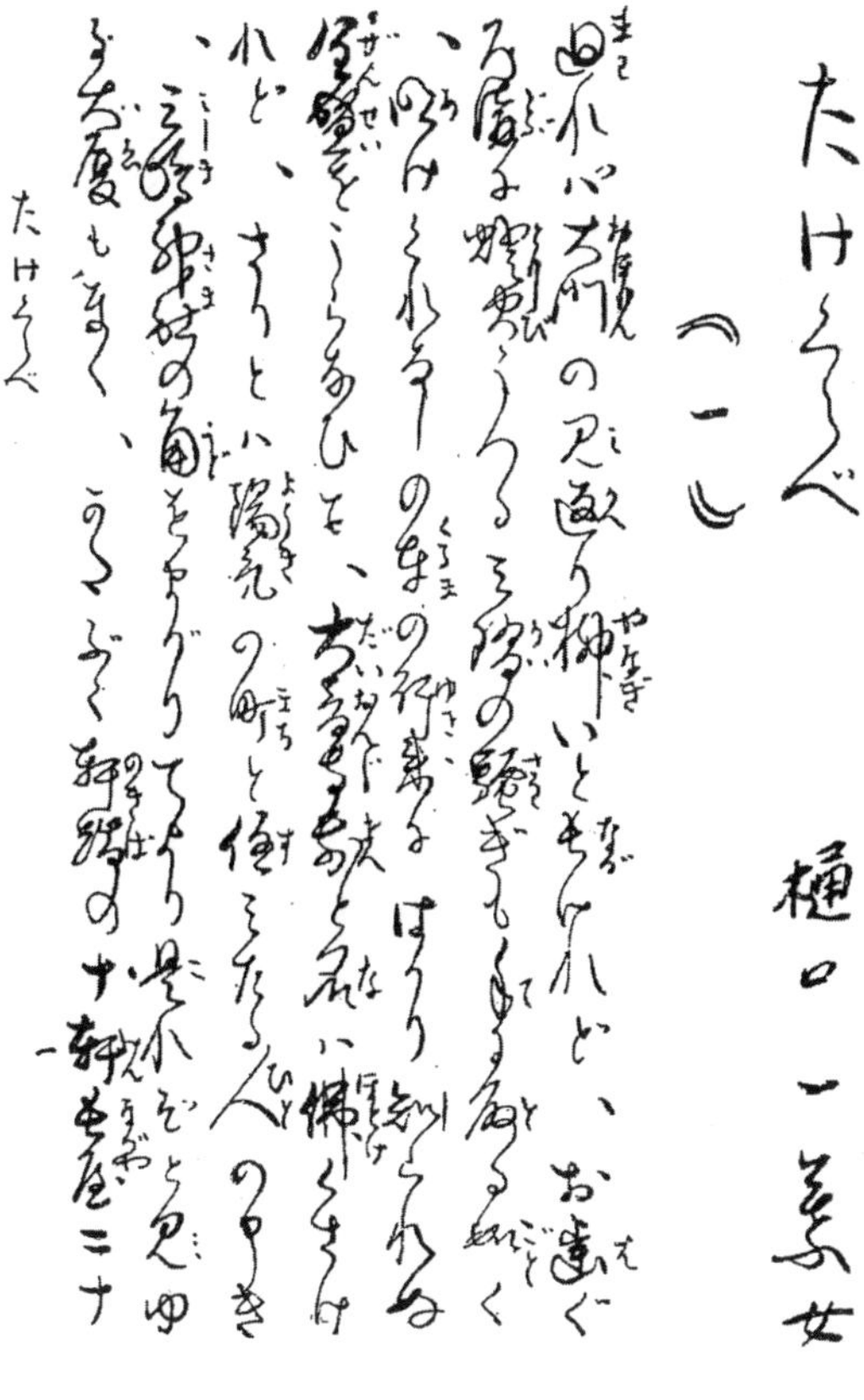
たけくらべ
（一）
樋口一葉女
廻れば大門の見返り柳いと長けれど、お歯ぐろ溝に燈火うつる三階の騒ぎも手に取る如く、明けくれなしの車の行来にはかり知られぬ全盛をうらなひて、大音寺前と名は佛くさけれど、さりとは陽気の町と住みたる人の申き、三嶋神社の角をまがりてより是れぞと見ゆる大厦もなく、かたぶく軒端の十軒長屋二十
たけくらべ

（真筆版『たけくらべ』博文館　一九一八年　名著複刻全集　日本近代文学館）

現在は樋口一葉記念館で当時の様子をしのぶことができます。毎年十一月に開かれる「一葉祭」には、朗読や講演がおこなわれます。今度は私がゼミの若い学生を連れて行きました。展示されている直筆の短冊や書簡、二十三回忌に出版された真筆版《しんぴつばん》『たけくらべ』には、幸田露伴と島崎藤村が序を寄せています。真筆版の優麗な筆跡をみても、近代文学の黎明期に、最初の女性作家として活躍した一葉は、途方もない才能を持っていたのがわかります。

物語には、吉原の廓に住む美登利《みどり》と僧侶の息子信如《しんにょ》との淡い恋を中心に、当時の東京下町の子どもたちの世界が魅力的に描かれています。主人公二人が登場する場面を読んでみましょう。

龍華寺《りうげじ》の信如《しんによ》、大黒屋《だいこくや》の美登利《みどり》、二人《ふたり》ながら學校《がくかう》は育英舎《いくゑいしや》なり、去《さ》りし四月の末《すゑ》つかた、櫻《さくら》は散《ち》りて青葉《あおば》のかげに藤《ふぢ》の花見《はなみ》といふ頃《ころ》、春季《しゆんき》の大運動會《だいうんどうくわい》とて水《みづ》の谷《や》の原《はら》にせし事《こと》ありしが、つな引《ひき》、鞠《まり》なげ、繩《なわ》とびの遊《あそ》びに興《きやう》をそへて長《なが》き日《ひ》の暮《く》るゝを忘《わす》れし、其折《そのをり》の事《こと》とや、信如《しんによ》いかにしたるか平常《へいぜい》の沈着《おちつき》に似《に》ず、池《いけ》のほとりの松《まつ》が根《ね》につまづきて赤土道《あかつちみち》に手《て》をつきたれば、羽織《はをり》の袂《たもと》も泥《どろ》に成《な》りて見《み》にくかりしを、居《い》あはせたる美登利《みどり》みかねて我《わ》が紅《くれない》の絹《きぬ》はんけちを取出《とりいだ》し、これにてお拭《ふ》きなされと介抱《かいほう》をなしけるに、友達《ともだち》の中《なか》なる嫉妬《やきもち》や見《み》つけて、藤本《ふじもと》は坊主《ぼうず》のくせに女《をんな》と話《はなし》をして、嬉《うれ》しさうに禮《れい》を言《い》つたは可笑《をか》しいでは無《な》いか、大方美登利《おおかたみどり》さんは藤本《ふじもと》の女房《かみさん》になるのであらう、お寺《てら》の女房《かみさん》なら大黒《だいこく》さまと言《い》ふのだなど〱取沙汰《とりさた》しける、

二人の初々しい出会いや、まわりの友達がはやし立てたためにお互いに意識して気まずくなるところは、まるで現代の小学生のようです。時代や場所はちがっても、『たけくらべ』には、だれにとっても覚えのある子どもの時間が封じこめられています。夏祭りから酉の市までの季節の移り変わりのなかで、少年少女が大人になっていきます。川端康成の『伊豆の踊子』や三島由紀夫の『潮騒』などと並んで、心に残る青春小説として映画やドラマでもたびたび映像化されてきました。

しかし、古典作品は句点がほとんどない場合もあり、すぐにはスムーズに読めません。内容にそって「意味の切れ目」や「文の切れ目」に、鉛筆で印をつけます。はじめは慣れないリズムですが、覚えてしまうくらい繰り返し読み込むうちに、声に迫力がでてきます。自然な緩急も生まれ、会話のところと地の文も読みわけられていきます。そして、文章が紙の上から起きあがり、信如と美登利がいきいきと動き出すように読めるようになります。なお、古典作品はできれば古いアクセントで読みたいので、私は、古いアクセントに詳しい三省堂書店の『新明解日本語アクセント辞典ＣＤ付き』を使うようにしています。

古典作品ははじめは大変でも、声に出して朗読すると親しみがわき、耳やからだにその調

べが残ります。古典作品は声に出してこそ、そのすばらしさが実感できます。さらに、その余韻をいつまでも楽しめるように思います。

第五章

朗読をめぐる旅

一、イメージして読む〜宮澤賢治の世界

宮澤賢治の作品はどの世代にも人気があり、現代の作家やアーティストのなかにも賢治を敬愛している人が多くいます。さまざまな童話や詩のなかでも『セロ弾きのゴーシュ』『注文の多い料理店』『よだかの星』『銀河鉄道の夜』などの童話や、『雨ニモマケズ』『永訣の朝』などの詩は現在もたびたび朗読されています。とくに東日本大震災の直後は全国で賢治作品の朗読の輪が広がりました。

ところで、宮澤賢治の作品はわかりやすいのでしょうか。覚えるくらい読んだ童話の印象的なシーンは結局何を伝えたかったのか、作品のテーマは何か、童話にしては皮肉たっぷりでシュールな終わり方には意味があるのか、などと疑問を持つことがあります。宮澤賢治の作品がわからないのは自分の読解力がないためだと思っていました。しかし、宮澤賢治研究者の山下聖美さんは、スタジオジブリの宮崎駿監督をはじめ、多くのクリエイターが作品の謎や疑問点、受け取ったインスピレーションを自分の創作のきっかけとしていることから、宮澤賢治の作品は「繁殖力のある文学」ではないかと書いています。

賢治の作品は、ふしぎで、よくわからないからこそ魅力的なのでしょう。わからなくても、むしろわからないからこそ、賢治作品の独特の世界を、私たち一人ひとりが自分なりにイメー

ジして豊かに味わうことができます。

『注文の多い料理店』をイメージして読む

『注文の多い料理店』は、多くの人に親しまれている作品です。日常生活で人にお願いする条件が多いとき「注文の多い料理店で、すみません」などと使われることもあるくらいです。私がこの作品をＣＤに録音したときは、登場人物の台詞と地の文、看板に書かれている文字、それらの読みわけに苦心しました。この作品に登場するのは二人の紳士、犬、山猫の子分たちです。読むときには、だれの言葉なのかをはっきりさせる必要があります。

二人《ふたり》の若《わか》い紳士《しんし》が、すつかりイギリスの兵隊《へいたい》のかたちをして、ぴかぴかする鉄砲《てつぽう》をかついで、白熊《しろくま》のやうな犬《いぬ》を二疋《ひき》つれて、だいぶ山奥《やまおく》の、木《き》の葉《は》のかさかさしたとこを、こんなことを云《い》ひながら、あるいてをりました。

「ぜんたい、こゝらの山は怪《け》しからんね。鳥《とり》も獣《けもの》も一疋《ぴき》も居やがらん。なんでも構《かま》はないから、早くタンタアーンと、やつて見《み》たいもんだなあ。」

「鹿《しか》の黄《き》いろな横《よこ》つ腹《ぱら》なんぞに、二三発《ぱつ》お見舞《みまひ》もうしたら、ずゐぶん痛快《つうくわい》だらうねえ。くるくるまはつて、それからどたつと倒《たふ》れるだらうねえ。」

それはだいぶの山奥《やまおく》でした。案内《あんない》してきた専門《せんもん》の鉄砲打《てつぽうう》ちも、ちよつとまごついて、どこかへ行《い》つてしまつたくらゐの山奥《やまおく》でした。

（『校本　宮澤賢治全集』第十一巻　筑摩書房　一九七四年）

二人の紳士はどのような風貌で、どのような声なのでしょうか。一人目はでっぷりと太り、エネルギッシュな都会の食道楽で、身につけている装飾品も立派でしょう。心のなかで絵をえがき、その人物に一瞬なりきって息を吸い、声にしてみます。もう一人はやはり肥満気味の紳士ですが、相手の言うことに何でも賛同するようなお調子者でしょうか。声は少し軽いかもしれません。二人の紳士の姿を思い浮かべ、それぞれの息づかいで声を出します。声色を遣うのではなく、人物を想像して息を吸うと自然に会話のまえに「間」が入ります。そして、会話がいきいきとしてきます。地の文はあまり抑揚をつけず、さらさらと読みます。続いて、ガラス戸や扉などに書かれている看板の文字です。

「どなたもどうかお入《はい》りください。決《けつ》してご遠慮《ゑんりよ》はありません」
「ことに肥《ふと》つたお方《かた》や若《わか》いお方《かた》は、大歓迎《だいくわんげい》いたします」
「当軒《とうけん》は注文《ちうもん》の多《おほ》い料理店《れうりてん》ですからどうかそこはご承知《しやうち》ください」

看板の注文に少し違和感があっても、紳士たちは自分たちで理由をつけて納得してしまいます。現代の詐欺も、相手のおかしな発言を耳にしても疑問を抱かず、自分で勝手に辻褄を合わせてしまうことから騙されるのだそうです。
これらの注文は看板に書かれたものなので、文字が浮かぶように硬めの声で読むのがよいと思います。

「いろいろ注文《ちうもん》が多《おほ》くてうるさかつたでせう。お気《き》の毒《どく》でした。もうこれだけです。どうかからだ中《ぢゆう》に、壺《つぼ》の中《なか》の塩《しほ》をたくさんよくもみ込《こ》んでください。」

紳士たちはこの注文でさすがに変だと気がつきます。あわてた山猫の子分たちの会話です。一匹目は気が弱くてせっかちです。浅い呼吸で読んでみましょう。二匹目の山猫は兄貴分で、親分に対しても批判的です。その世慣れた感じを声にしたいと思います。登場人物の姿や気持ちをイメージして読むと朗読が立体的になってきます。

「だめだよ。もう気《き》がついたよ。塩《しほ》をもみこまないやうだよ。」
「あたりまへさ。親分《おやぶん》の書きやうがまづいんだ。あすこへ、いろいろ注文《ちゆうもん》が多《おほ》くてうるさかつたでせう、お気《き》の毒《どく》でしたなんて、間抜《まぬ》けたことを書いたもんだ。」

「どつちでもいゝよ。どうせぼくらには、骨《ほね》も分《わ》けて呉《く》れやしないんだ。」

「それはさうだ。けれどももしこゝへあいつらがはいつて来《こ》なかつたら、それはぼくらの責任《せきにん》だぜ。」

「呼《よ》ばうか、呼《よ》ばう。おい、お客《きゃく》さん方《がた》、早くいらつしやい。いらつしやい。いらつしやい。お皿《さら》も洗《あら》つてありますし、菜《な》つ葉《ぱ》ももうよく塩《しほ》でもんで置《お》きました。あとはあなたがたと、菜《な》つ葉《ぱ》をうまくとりあはせて、まつ白《しろ》なお皿《さら》にのせる丈《だ》けです。はやくいらつしやい。」

独特のオノマトペを楽しみたい

宮澤賢治はオノマトペの天才といわれます。この作品の冒頭の部分にも、擬音語や擬態語などのオノマトペが数多く登場します。

風《かぜ》がどうと吹《ふ》いてきて、草《くさ》はざわざわ、木《き》の葉《は》はかさかさ、木《き》はごとんごとんと鳴《な》りました。

「ざわざわ」「かさかさ」など、だれもが想像できる一般的なものもありますが、風が「どう」と吹くというのは賢治ならではの表現です。『風の又三郎』の「どっどど　どどうど　どどうど　どどう」や『雪渡り』の「キックキックトントン、キックキックトントントン」という足ぶみの音、『やまなし』の「かぷかぷ」など、忘れられない魅力的なオノマトペがあります。これらは、想像力をふくらませて楽しみながら読みたいものです。

なぜ賢治のオノマトペがこのようにユニークなのか、この点についても多くの研究があります。賢治はある刺激に対して普通の人とは異なる、独特な感じ方をしていたのではないかという説があります。それは、文字や音に色を感じたり、形に味を感じたりする感性です。賢治としては個性的なオノマトペを作り出そうとしているわけではなく、自分の感じたままを文字にしただけなのでしょう。

序に込めた思い

この作品は、宮澤賢治の生前に出版された唯一の童話集『注文の多い料理店』に収められています。盛岡市内の北上川沿いにある「光原社」は、その『注文の多い料理店』を発刊した出版社です。創業者は賢治の盛岡農林高等学校時代の後輩で、社名も賢治によって名付けられました。現在は民芸店になっており、喫茶室の銘菓「くるみクッキー」も人気です。敷地内には初版本や直筆原稿などの展示室があり、「宮澤賢治 イーハトーヴ童話 注文の多い料理店 出版の地　一九二四年」と記した記念碑が建てられていました。

この童話集の「序」を読むと、どのように作品が生まれたのかわかります。

序

わたしたちは、氷砂糖《こほりざとう》をほしいくらゐもたないでも、きれいにすきとほつた風《かぜ》をたべ、桃《もゝ》いろのうつくしい朝《あさ》の日光《につくわう》をのむことができます。

またわたくしは、はたけや森《もり》の中《なか》で、ひどいぼろぼろのきものが、いちばんすばらしいびらうどや羅紗《らしゃ》や、宝石《ほうせき》いりのきものに、かはつてゐるのをたびたび見《み》ました。

わたくしは、さういふきれいなたべものやきものをすきです。

これらのわたくしのおはなしは、みんな林《はやし》や野《の》はらや鉄道線路《てつだうせんろ》やらで、虹《にぢ》や月《つき》あかりからもらつてきたのです。

ほんたうに、かしはばやしの青《あを》い夕方《ゆふがた》を、ひとりで通《とほ》りかかつたり、十一月《ぐわつ》の山《やま》の風《かぜ》のなかに、ふるえながら立《た》つたりしますと、もうどうしてもこんな気《き》がしてしかたないのです。ほんたうにもう、どうしてもこんなことがあるやうでしかたないといふことを、わたくしはそのとほり書《か》いたまでです。

ですから、これらのなかには、あなたのためになるところもあるでせうし、ただそれつきりのところもあるでせうが、わたくしには、そのみわけがよくつきません。なんのことだか、わけのわからないところもあるでせうが、そんなところは、わたくしにもまた、わけがわからないのです。

けれども、わたくしは、これらのちいさなものがたりの幾《いく》きれかが、おしまひ、あなたのすきとほつたほんたうのたべものになることを、どんなにねがふかわかりません。

大正十二年十二月二十日　　宮澤賢治

この序には、物語を読む子どもたちへの思いがつづられています。おもしろいものを書こう、子どもが喜ぶ童話を書こう、などと考えて創作されたのではなく、賢治が自然とともに生きるなかで、いわば自然発生的に生まれた童話なのだということがわかります。

文章の構造を考える

宮澤賢治の文体も個性的です。句点の少ない独特のリズムの文章が長く続き、朗読がむずかしいときもあります。たとえば、『銀河鉄道の夜』の冒頭を見てみます。

「ではみなさんは、さういふふうに川だと云はれたり、乳の流れたあとだと云はれたりしてゐたこのぼんやりと白いものがほんたうは何かご承知ですか。」先生は、黒板に吊した大きな黒い星座の図の、上から下へ白くけぶった銀河帯のやうなところを指しながら、みんなに問をかけました。

（『校本　宮澤賢治全集』第十巻　筑摩書房　一九七四年）

この部分を声に出して読んでみてください。とても読みにくいと思います。賢治のふるさと花巻市で直筆原稿を見て、その理由がわかりました。もともとは「みなさんは、あのぼんやりと白くかかる、銀河帯が何かご承知ですか」という短い文だったのです。そこに、修飾する言葉が複雑に書きこまれ訂正されています。

このように朗読しにくい文の場合は、主語と述語を正しくとらえ、部分的な修飾関係を確かめる必要があります。この場合は、「みなさん」が主語で、「ご承知ですか」が述語です。そこに次々に情報が付け加えられています。

文学作品のなかには、このように修飾構造が複雑な長文の作品が多くあります。科学、哲学、法律の文章も引用や二重否定が多く、読むのに苦労します。いきなり声を出してしまうと、何を読んでいるのか自分でもわからなくなります。そのようなときは、まず最後の述語を読み、そこから上へ読み上げるようにすることをおすすめします。

また、声を出して読むまえに、作品全体の構造や骨格を大きくとらえ、俯瞰的に見てみることも大切です。

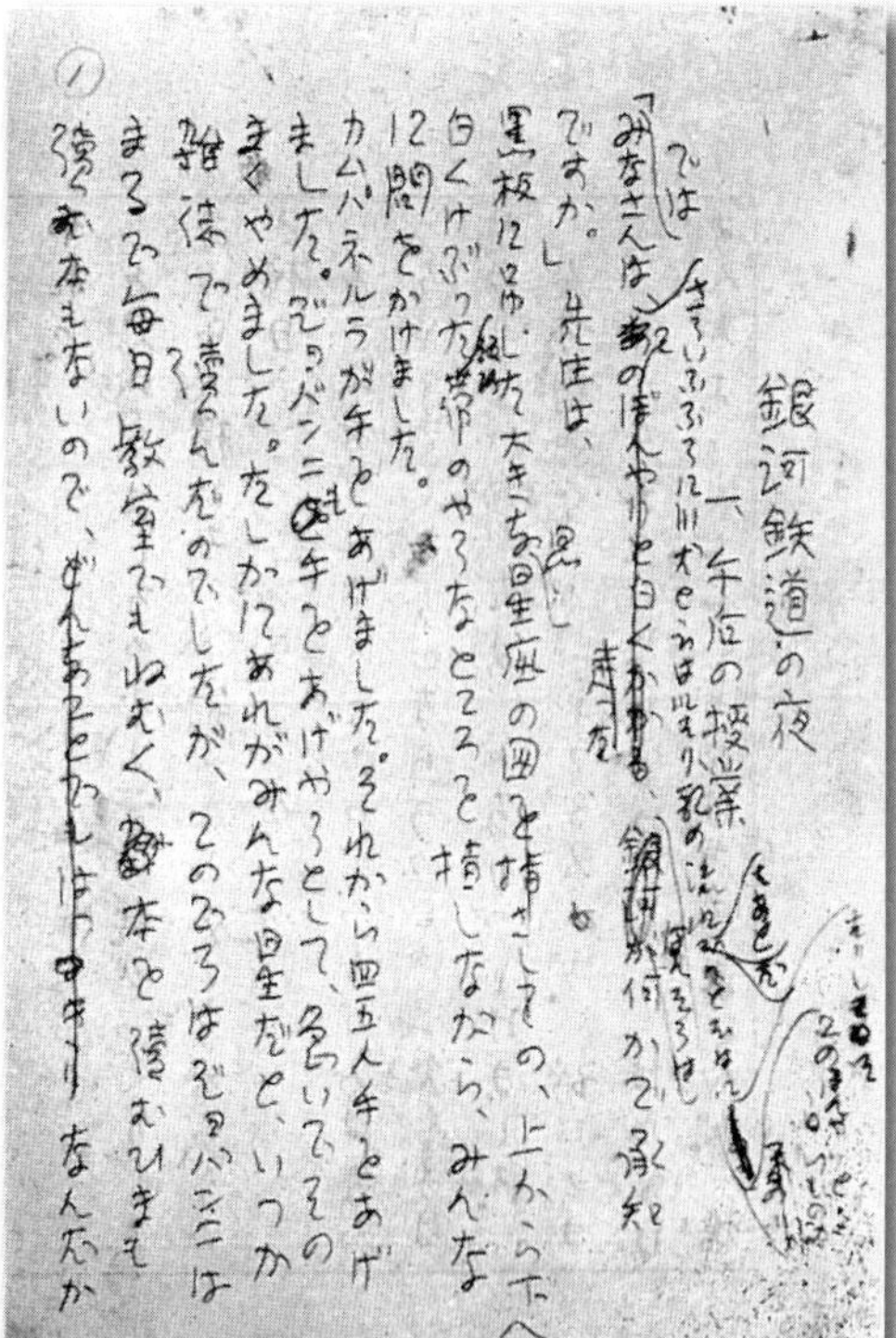
銀河鉄道の夜
一、午后の授業

賢治のする読み聞かせ

一八九六年（明治二九年）賢治は、現在の岩手県花巻市に生まれ、少年時代を過ごしました。中学高校時代は盛岡でしたが、成人してからは花巻に戻り、教師や農業指導者として生活しながら多くの作品を書きました。花巻市内には、賢治関連の施設が多く点在します。「林風舎」には、『雨ニモマケズ』が書かれた革の手帖が展示されています。賢治の弟である宮澤清六が発見したものです。「宮沢賢治記念館」に展示されている、賢治愛用のチェロと妹トシのヴァイオリンは忘れず見たいものです。音楽の好きな人にとって『セロ弾きのゴーシュ』は心に残る作品ではないでしょうか。

記念館は深い木々に囲まれた山の上にあり、そこからは賢治のふるさとを一望できます。畑や森が広がるひなびた田園地帯で、高いビルは一つもありません。走っているバスの本数もわずかです。花巻農学校では自作の童話を生徒に朗読し、「羅須地人協会《らすちじんきょうかい》」では、農民に農業指導をするとともに、レコードコンサートや子ども達への童話の読み聞かせをしていたということです。賢治は自作の童話をどのように読んだのでしょう。きっと楽しそうに、おもしろそうに朗読したに違いありません。

ふるさとの山

賢治の作品を生んだ自然の姿を見たい、賢治にとって理想郷である岩手へ行ってみたいとあこがれていました。念願がかなって、春まだ浅いころ、盛岡と花巻を訪れることができました。東京から東北新幹線で二時間、盛岡の駅に到着すると、まだ雪景色の岩手山がまず目に飛び込んできます。石川啄木が「ふるさとの山に向ひて　言ふことなし　ふるさとの山はありがたきかな」と詠んだのがこの山であったのかと、納得するうつくしさでした。

盛岡は、宮澤賢治が学生時代の十年間を過ごした地です。「光原社」をはじめ、ゆかりの場所を歩きました。そのなかで心に残ったのは、賢治の学んだ「旧盛岡高等農林学校」（現在の岩手大学農学部）です。どの観光ガイドにも詳しく載っておらず、帰る日に宿泊先で行き方を聞きました。あいにくの冷たい雨でしたが、始発のバスで盛岡駅から十分。早朝にもかかわらず、門が空いています。おそるおそる門をくぐり、勇気を出してだれもいない敷地内に入ってみました。大学のキャンパスというよりは、植物園のようで、深い林や池に囲まれています。

しばらく歩いていくと、正面に木造二階建ての欧風の建物が見えます。盛岡高等農林学校の本館として、一九一二年（大正元年）に建てられたもので、現在は農業教育資料館となっています。国の重要文化財に指定され、ほぼ設立当時の状態に大修復がおこなわれています。ひっそりと建つうつくしい建物とそのまえの賢治のモニュメントを見ながら、学生だったころの賢治の姿を想像します。賢治はベートーヴェンを敬愛し、交響曲『田園』にインスピレーションを得た作品も書いています。このモニュメントは、コート姿に帽子で手を後ろに組んで田を歩く、賢治の有名な写真がもとになっています。実はあの写真は、田園地帯を歩くベートーヴェンの肖像画をまねて、同じポーズで友人に撮ってもらったものだと伝えられています。

この盛岡高等農林学校で、賢治は郷土の先輩である石川啄木に影響を受け、文学に目覚め、級友たちと同人誌『アザリア』を発行しました。岩手山にたびたび登り、自然と交流しながら地質や土壌などの研究をし、寮では毎朝法華経を読経していたそうです。

ここから岩手山はどのように見えたのでしょうか。賢治ゆかりの名所のなかで見逃したくないのは、四季折々の岩手山の姿なのではないかと気がつきました。盛岡市のどこにいても見える岩手山の姿は、明治、大正、そして現在まで変わらずそこにあるはずです。賢治にとって岩手山はとても大きな存在だったに違いありません。次は小岩井牧場を訪ね、そこからの岩手山を見てみたい、できれば岩手山に登ってみたいものです。

第五章　朗読をめぐる旅

二、津軽・太宰治・女生徒

「大人の休日倶楽部」の会員になってみました。この関連イベントの仕事は長年担当してきましたが、「大人の」という言葉に少し抵抗がありました。まだ自分は若いと意地を張っていたのです。しかし、「JR東日本全線エリア四日間乗り放題」というポスターにひかれて入会し、一人旅の計画を立ててみました。列車の時刻表を見ながら「みどりの窓口」で相談する段階で、すでにうきうきした気持ちが止まりません。まわりを見ると「大人の休日倶楽部」の手帖を持ったシニアのグループが並んでいます。時間と心にゆとりのある世代が、それぞれの旅を楽しげに計画中です。

　私が「大人になったらしたいこと」は、青森県の五所川原から金木までストーブ列車に乗って、太宰治の生家「斜陽館」を訪ねることです。映像や写真ではたびたび見ていますが、実際にそこへ行き太宰が生まれた金木の空気を吸ってみたいのです。ストーブ列車がはじまるのは十二月一日で、その朝は津軽三味線が演奏される出発式があるとのこと。これは、ぜひ見なければと思いますが、そのためには前日は青森に泊まる必要があります。そこで、前日の十一月三十日は、青森に行くまえに岩手県新花巻にある宮澤賢治の「羅須地人協会《らすちじんきょうかい》」に立ち寄ることにしました。賢治が自炊生活をしながら、子ども達に朗読もしたというあの場所です。現在は県立花巻農業高等学校内に移築復元され、ちょうど十一月三十日までなら自由に見学できるとのことです。

「旧盛岡高等農林学校本館」は、以前に見学できなかった館内の資料館に行きたいと思ったのですが、平日でないと開いていません。そこで、ここは青森から帰る途中の十二月二日の月曜日に、立ち寄ることにしました。三日間で「乗り放題」をいかした完璧な旅行計画ができました。我ながら理想的な内容です。

これまで公開放送や、シンポジウム、コンサートの司会、朗読公演などで各地を訪ねてきました。その結果、行ったことのない県は高知県だけになりました。しかし、仕事での出張は飛行場や駅から目的地に直行し、仕事が終わるやいなや可能な限り早い手段で帰るのが常です。東京から沖縄に日帰りなどということもありました。土地の名所もろくに見ないでそそくさと帰ってくることばかりです。自分で列車を選び、宿を探し、計画を立てるのが、このように心弾むことだとは知りませんでした。

青森での太宰治の朗読会

仕事で青森に行ったのは十年程まえのことです。もちろん「斜陽館」に立ち寄る余裕はありませんでした。東北新幹線新青森開業の直前イベントとして、太宰治の朗読会が青森市内でおこなわれたのです。『津軽』『人間失格』『走れメロス』『斜陽』『ヴィヨンの妻』などを先輩たちが朗読し、私は『女生徒』の朗読と司会を担当しました。『女生徒』は発表当時、川端康成が高く評価した作品ですが、一般的にはそれほど読まれていません。私は公演のまえにCD録音をしたこともあり、作品としっかり向き合うことができました。その過程で、太宰作品のなかでもとくに魅力を感じるようになっています。一人の少女が朝起きてから寝るまでの一日の出来事や、心の揺れが独白体で語られています。

あさ、眼をさますときの氣持ちは、面白い。かくれんぼのとき、押入れの眞暗い中に、ぢつと、しやがんで隱れてゐて、突然、でこちやんに、がらつと襖をあけられ、日の光がどつと來て、でこちやんに、「見つけた！」と大聲で言はれて、まぶしさ、それから、へんな間の悪さ、それから、胸がどきどきして、着物のまへを合せたりして、ちよつと、てれくさく、押入れから出て來て、急にむかむか腹立たしく、あの感じ、いや、ちがふ、あの感じでもない、なんだか、もつとやりきれない。箱をあけると、その中に、また小さい箱があつて、その小さい箱をあけると、またその中に、もつと小さい箱があつて、そいつをあけると、また、また、小さい箱があつて、その小さい箱をあけると、また箱があつて、さうして、七つも、八つも、あけていつて、たうとうおしまひに、さいころくらゐの小さい箱が出て來て、そいつをそつとあけてみて、何もない、からつぽ、あの感じ、少し近い。パチッと眼がさめるなんて、あれは嘘だ。濁つて濁つて、そのうちに、だんだん澱粉が下に沈み少しづつ上澄《うわずみ》が出來て、やつと疲れて眼がさめる。

（『女生徒』　砂子屋書房　一九三九年　名著初版本複刻　太宰治文学館　日本近代文学館）

この冒頭の部分は句点が極端に少なく、「間《ま》」をどう入れるのか悩みました。基本的には作品は原文通りの句読点で読むべきだと思いますが、このような作品の場合は、意味が伝わりやすいように句読点をつけなおし、「間」を入れることが必要になります。学校の国語などで「読点（、）は一拍、句点（。）は二拍」と習ってきた方がいますが、そのルールで読むと、ブツブツに切れて内容がわかりにくくなります。

私は、段落や場面が変わる非常に大きな間には「v」、文中の大きな「間」は「／」、小さな「間」は「く」、と印を入れます。また重要だと思う言葉のまえには、一瞬立ち止まるようなごく短い「間」が効果的です。これを〝ため〟と呼んでいます。例えば、日常会話で「私が好きなのは、春ではなく秋です」と言う場合、秋のまえに「ん」と息をのむような小さな「間」を入れると言葉が浮かびあがります。

この〝ため〟を入れたいときは「、」の印をつけます。さらに、〝切りきらず〟には「・)」と印をします。〝切りきらず〟とは、息継ぎをせず、音の高さも息もそのまま次につながっていくような「間」のとり方です。ご自分の方法で工夫して印をつけてみてください。

日本文化を特徴づける「間」

朗読にとっての「間」の大切さは言い出したらきりがありません。文章をわかりやすく読むときの、ちょうどよい「間」は聞き手に心地よく、理解を助けてくれます。「間」を入れず、せかせか休みなく読むと内容がうまく伝わりません。場面が変ったとき、会話の前後、大事な言葉のまえでは思い切って「間」を入れましょう。聞き手を待たせるのが申し訳ないと思ってしまうのか、ほとんどの人は「間」が足りません。

日本文化を特徴づけるものは「間」であるといわれます。日本文化全般において「間」は常に重視されてきました。書道や絵画、美術工芸品では、余白はうつくしさのために欠かせない要素です。俳句や短歌は余白や行間が大切な「間」の文芸といえるでしょう。コミュニケーションや心理の専門家のあいだでも「間」の必要性が研究されています。

そのなかで、絶妙の「間」と呼ばれるものは、一般的に最適と思われる「間」から微妙にずれるのではないか、そのずれによって生ずる緊張、弛緩、意外性が効果を生み、それが芸術的な名人芸の「間」になるという指摘があります。笑いやユーモアを表現するためにも「間」は大きな役割を果たします。「間」をどのくらい、どのように取るかが、その人の表現を決めます。作品に忠実な解釈で、勇気を出して「間」を入れましょう。

『女生徒』が書かれたころ

大学の「読書入門」の授業で、この『女生徒』を取り上げたことがあります。太宰の作品はいつの時代にも若者に人気です。毎年六月、三鷹の禅林寺でおこなわれる「桜桃忌《おうとうき》」には多くの熱心な読者が集まりニュースにもなります。「桜桃忌」の日ではありませんでしたが、禅林寺と「太宰文学サロン」へ行ってみました。禅林寺の太宰治の墓の斜めまえは森鷗外の墓です。太宰は夫人と散歩がてら森鷗外のお墓参りをしていたようです。『女生徒』は、このような、太宰がつかの間の穏やかな日々を送っていた時期に書かれた作品です。

親や世のなかに反発を感じつつも、よい娘になりたいと願う。うつくしく生きたいと思った直後にひどい虚無感に襲われる。子どものままでもいられないし、大人にもなりきれない。そうした思春期の揺れる心は、いつの時代も共通のものかもしれません。心地よい語りのリズムに引き込まれるのは、太宰が物語を語り、妻が口述筆記するという方法で書かれたからでしょう。最後の部分です。

眠りに落ちるときの氣持つて、へんなものだ。鮒か、うなぎか、ぐいぐい釣糸をひつぱるやうに、なんだか重い、鉛みたいな力が、糸でもつて私の頭を、ぐつとひいて、私がとろとろ眠りかけると、また、ちよつと糸をゆるめる。すると、私は、はつと氣を取り直す。また、ぐつと引く。とろとろ眠る。また、ちよつと糸を放す。そんなことを三度か、四度くりかへして、それから、はじめて、ぐうつと大きく引いて、こんどは朝まで。おやすみなさい。私は、王子さまのゐないシンデレラ姫。あたし、東京の、どこにゐるか、ごぞんじですか？　もう、ふたたびお目にかかりません。

青森県津軽といえば

この『女生徒』は太宰治の熱心な読者だった有明淑《しず》という女性の日記をもとに書かれたとされ、その日記との比較研究もあります。しかし、私は長いあいだ料理研究家で俳人の阿部なをさんが、この作品のモデルだと信じていました。阿部さんは津軽の出身です。ご主人の画家阿部合成《ごうせい》の親友だった太宰は、よく阿部家に転がり込んでは酒を飲み、おいしいみそ汁や津軽料理を食べていったそうです。ときには阿部さんは太宰をぴしゃりと叱ることもあり、太宰は凛としてうつくしい阿部さんに、頭があがらなかったといいます。というのは、太宰の最初の夫人である初枝は、紅子という芸名で、若いころの阿部さんとは三味線の稽古を一緒にしていた、大変近い友だちだったのです。
阿部なをさんの随筆『みそ汁に　はこべ浮かべて……』のなかに『女生徒』についての記述があります。

あるとき、太宰さんが『女生徒《じょせいと》』という花模様の美しい表紙の本を出版され、それをわが家へ持ってきてくれました。大変読みやすい本で、読み進みながら、大変生意気な女学生が私の言動ととても似ているのです。紅子さんから聞いているな、と思いましたが、別に不快感もなく、好意を持って書いてくださっていることがよくわかり、次に会ったとき、「あの中のこと、いろいろ思い当たるわ」と申しましたら、あちらもニヤリと笑って頭を下げただけでした。

（『みそ汁に　はこべ浮かべて……』主婦の友社　一九九二年）

太宰が頭を下げたのは、「モデルにしたのが、ばれてしまいましたか。事後承諾で失礼しました」という意味なのか、「だれもが、自分のことだと思ってくれるように書きました。作品として狙った通りです」という意味なのか、今では確かめる方法がありません。おそらく、有明淑の日記がベースとしてありながら、若いころの阿部さんの姿がそこに反映されたということなのではないか、と私は考えています。あるいは、『女生徒』はそれだけリアリティのある作品だということなのでしょうか。

さて、金木で生まれた太宰は、幼いころ、叔母や子守のタケの語る昔話を聞きながら眠りについたといいます。その津軽弁の語りが太宰の言葉を育んだのではないかと考えられています。その語りは、どのような響きだったのでしょう。温かいお人柄と小気味よいお話で多くの人に慕われた阿部なをさんも、亡くなるまで津軽のアクセントで話されていました。太宰治と作家をとりまく人々に想いをめぐらせながら、東北の旅を終えました。

三、作品ゆかりの土地を歩く～おくのほそ道

俳聖と呼ばれる松尾芭蕉は、俳人はもとより、子どもからお年寄りまでどの世代にも親しまれています。現在、朗読教室で『おくのほそ道』を十年ぶりに読んでいます。名作は待ってくれるといいますが、ときがたって再読すると新たな発見があります。年齢を重ねたからこそ、味わいが深くなるように感じています。

『おくのほそ道』は全文が詩であるといいます。うつくしい日本語として完成されたこの作品を朗読するときは、作品の勢いや調べを大切にしたいと思います。俳句や俳文は、「切れ」をどう読むかが鍵になります。書かれている句読点のままブツブツに切るのではなく、意味にそった「間」で、歯切れよく読みましょう。

さらに再朗読して気がついたのは、深い呼吸の重要性です。『おくのほそ道』はお腹の底からの腹式呼吸を意識して、からだ全体に声が響くように、堂々と格調高く読めたらと思います。

北陸の那谷寺《なたでら》へ

さらに、旅の出会いや情景が目に浮かぶように読みたいものです。しかし、省略も多く、

内容を理解するのがむずかしい場合もあります。資料に当たるのはもちろんですが、現地に行ってみると思わぬ発見があります。『おくのほそ道』をより身近に感じるために、北陸の加賀温泉を訪ねてみました。

芭蕉は、一六二五年（寛永二年）弟子の曾良とともに山中温泉に九日間逗留しました。その滞在中に立ち寄ったのが那谷寺です。

山中《やまなか》の温泉《いでゆ》に行《ゆく》ほど、白根《しらね》が嶽《だけ》跡に見なしてあゆむ。左りの山際《やまぎは》に観音堂《くわんおんだう》有《あり》。花山《くわさん》の法皇《ほふわう》三十三所《しよ》の順礼《じゆんれい》とげさせ給《たま》ひて後《のち》、大慈大悲《だいじだいひ》の像《ざう》を安置《あんぢ》し給《たま》ひて、那谷《なた》と名付給《なづけたま》ふと也《なり》。那智《なち》・谷組《たにぐみ》の二字をわかち侍《はべり》しとぞ。奇石《きせき》さまぐ〵に、古松植《こしようう》ゑならべて、萱《かや》ぶきの小堂《せうだう》、岩の上に造りかけて、殊勝《しゆしよう》の土地《とち》也《なり》

石山《いしやま》の石《いし》より白《しろ》し秋《あき》の風《かぜ》

（『新編　日本古典文学全集　松尾芭蕉集②』小学館　一九九七年）

那谷寺は大きな立派なお寺でした。芭蕉が訪れたのは秋ですが、私は季節外れの夏に行ったためか、観光客も少なくひっそりとしています。深い緑に包まれた広大な境内には、国の重要文化財にもなっている三重塔や本殿などが点在します。「自然こそ神仏」という教えに

よって守り続けられただけあって、苔はみずみずしく樹木はいきいきとしています。蝉しぐれのなか、チョウやトンボ、トカゲもあらわれ、生き物たちも伸びやかに暮らしているのがわかります。古い松のあいだにある奇岩は、昔も今も変わらぬ姿なのでしょう。

芭蕉はどのような思いでここを歩き、何を見て「殊勝の土地也」と書き記したのかと考えながら境内をまわります。白山よりも白いと表現された秋風はまだ吹いていませんでしたが、苔むした白山の句碑もありました。各地を旅行すると芭蕉の句碑に出会います。芭蕉が訪れ、句を残していると、そこは名勝地になります。芭蕉に詠まれた土地は幸せです。

三百年まえをイメージしながら静かに深呼吸をし、よい空気を胸いっぱいに吸っていると、ゴーという音がします。そういえば、那谷寺は小松空港にも近かったのです。私自身も飛行機に乗って東京から二時間で到着しました。江戸から徒歩で四か月かけた旅とは比べ物にならないと、少し現実に引き戻されつつ宿に帰りました。

山中温泉での別れ

千三百年まえからあるという山中温泉は、いかにも温泉街といった情緒あるところです。宿は、黒谷橋のそばの旅館にしました。芭蕉が、黒谷橋で渓流の音を聴き「行脚の楽しみここにあり」と褒めた、と伝えられているからです。さらに、その付近には、明治時代に芭蕉を慕う俳人たちによって建てられた「芭蕉堂」もありました。

芭蕉が逗留した和泉屋はもうありませんが、隣接の宿を改築し「芭蕉の館」という記念館が作られています。ひろい土間と高い天井や漆喰の壁、黒々とした太い柱が立派な、山中温泉最古の宿屋建築です。芭蕉が滞在したのもこのような雰囲気の宿だったのでしょう。

四か月ともに旅をした曾良と芭蕉はここで別れます。


曾良《そら》ハ腹を病《やみ》て、伊勢《いせ》の国長嶋《くにながしま》と云《いふ》所にゆかりあれバ、先立《さきだち》て行《ゆく》に、

ゆき〳〵てたふれ伏《ふす》とも萩《はぎ》の原《はら》　曾良

と書置《かきおき》たり。行《ゆく》ものゝ悲しミ、残《のこる》ものゝうらみ、隻鳧《せきふ》のわかれて、雲にまよふがごとし。

予《よ》も又《また》、

けふよりや書付《かきつけ》消《け》さん笠《かさ》の露《つゆ》

現代作家による連句

芭蕉は曾良と別れるまえに、山中温泉の宿で連句を巻いて楽しいときを過ごしました。残された歌仙『山中三吟両吟歌仙《やまなかさんぎんりょうぎんかせん》』には「元禄《げんろく》二の秋、翁《おきな》をおくりて山中温泉《やまなかおんせん》に遊ぶ、三両吟《さんりょうぎん》」とあります。館内には、それにちなんで一九八八年（昭和六三年）におこなわれた『歌仙　菊のやどの巻』の写真が展示されていました。井上ひさし、丸谷才一、大岡信、高橋治という現代の個性豊かな作家たちが、三百年記念行事の一環として出版社の呼びかけでこの場所で連句を巻いたときの写真です。

興味を持って東京に帰ってから図書館で調べたところ、この連句を解説した『とくとく歌仙』という本を見つけました。『歌仙　菊のやどの巻』の一部です。

翁よりみな年かさや菊のやど　　玩亭
　また湧き出でし枝の椋鳥　　信
名月に道具の月を塗り足して　　ひさし
　子役のもらふ鹽あんの餅　　玩
この土地は鼻濁音なきがぎぐげご　　信

（中略）

蝶の黄色のめでたかりける　玩
大和にも楊貴妃の名の花咲いて　信
峠をのぼる背にも春風　ひ

（『とくとく歌仙』文藝春秋　一九九一年）

芭蕉は敬意をこめて「翁」と呼ばれます。すでに他界した現代の個性豊かな作家たちが、山中温泉で、芭蕉を敬いながら連句を楽しんでいた様子が伝わってきます。玩亭は丸谷才一の俳号です。鼻濁音が詠まれているのを見て親近感がわきました。大岡信は「これを読んでいただく場合には、鼻濁音でないが、ぎ、ぐ、げ、ご、で読んでいただかないといけないということになります」と書いています。みなさんもどうぞ、ここは濁音で読んでください。

この山中温泉での歌仙は、好評のため四年ほど続きました。この山中温泉に籠りながら作家たちが芭蕉を思い、ユーモアたっぷりに詠んでいるのがわかります。きっと芭蕉のように温泉も堪能したことでしょう。

山中《やまなか》や菊《きく》はたお（を）らぬ湯《ゆ》の匂《にほひ》　芭蕉

公共の温泉である総湯「菊の湯」の名は『おくのほそ道』に詠まれた、この俳句がもとになっています。俳句は五七五のたった十七文字の文芸です。一つ一つの言葉をイメージしながら、たっぷりの息で豊かに読みます。

さらに、「山中や」の「や」のあとは大きく「間」をあけます。「や」「かな」「けり」などの「切れ字」は、いわば感嘆詞です。そのまえの言葉に感動があるので、大きな「間」と余韻で作者の驚きや感動を伝えます。総湯まえの広場は、朝はラジオ体操、昼は山中座での山中節、夜は縁日がおこなわれる温泉客と市民の憩いの場です。

この「菊の湯」での、土地の言葉を耳にしながらの入湯体験は特別に印象深いものでした。年配の入浴客のなかに、赤ちゃんを連れたお母さんの姿がありました。赤ちゃんの入浴は若いお母さんにとっては大仕事です。自分のからだを洗う余裕などはありません。そのお母さんがお湯から上がり脱衣所でゆったりしています。ベビーベッドの上で、赤ちゃんをあやしながら着替えをさせている老婦人をみて「ああ、三世代での入浴だったのか」と思って眺めていると、最後に「またね」と挨拶をかわし別れていきます。どうやら親子ではなかったようです。ここには昔ながらの、地域での子育て風景がありました。

旅には思いがけない人や風景との出会いがあります。それが旅の魅力です。出会いがあれば、別れもあります。芭蕉はここで曾良と別れ、現代の作家たちは芭蕉に引き寄せられるように山中温泉を訪れています。

芭蕉が、西行の歩いた道を旅したように、現代の私たちが芭蕉の歩いた道

をたどるのは味わい深いものです。さらに、旅から帰ったあとに図書館などで調べるのも、
また楽しいということがわかりました。

第六章

朗読で声の文化に出会う

一、歌舞伎に特別の親しみを感じるとき～外郎売

俳優やアナウンサーなら一度は練習するのが『外郎売《ういろううり》』です。若いころは覚えるのも大変で、古臭いように感じたこともありました。しかし、滑舌の練習としてこれほど優れたものはなかなかありません。声に出すたびに新たな発見があります。何よりも、『外郎売』を練習すると、自然に声が鍛えられ腹式呼吸にも慣れていきます。

のら如来《にょらい》、のら如来、三《み》のら如来に六《む》のら如来
京の生鱈《なまだら》、奈良、生《なま》まな鰹《がつお》
武具《ぶぐ》、馬具《ばぐ》、武具、馬具、三《み》武具馬具、あわせて武具、馬具、六《む》武具馬具

このように発音しにくい言葉がちりばめられていますが、少しずつ練習すると言えるようになります。覚えておけば、どこでも『外郎売』で発声発音練習ができます。さらに、スポーツ選手がルーチンワークをおこなうように、これから本番という直前に『外郎売』で声を出すとふしぎに心も落ち着きます。

『外郎売』で歌舞伎鑑賞

『外郎売』はもともと一七一八年（享保三年）に、二代目市川團十郎が咳と痰の病で舞台に立てず困っていたとき、生薬「透頂香《とうちんこう》」によって全快したことから、この薬の由来や効能を語る長台詞を、早口言葉で披露したのがはじめとされています。流暢な長台詞には悪霊をしずめる意味もあるのだそうです。

私は、『外郎売』が演目にあると、何とかして行かなければと思います。これまでも、十二代目市川團十郎が復帰の舞台で演じた二〇〇六年（平成一八年）の歌舞伎座、片岡愛之助が数日の練習で代役として演じた、二〇一〇年（平成二二年）の京都南座などに足を運びました。『外郎売』の現在の台本は、一九八〇年（昭和五五年）に改訂されたものです。どの舞台でもこの台本通りの進行です。最後に道化役が登場し、

「お茶立《た》ちょ、茶立《だ》ちょ、ちゃっと立ちょ、茶立《だ》ちょ、青竹茶筅《あおだけちゃせん》でお茶ちゃと立ちゃ」

というむずかしい台詞を言おうとするのですが、うまく言えず

「とんだ恥をかかせおったわ」

と頭をかかえる場面も毎回同じで、アドリブではありません。型を守る伝統芸能なのがよくわかります。

二〇一九年（令和元年）の七月大歌舞伎は、十一代目市川海老蔵、堀越勸玄親子の『外郎売』が話題になりました。昼の部の最後は「堀越勸玄早口言立て相勤め申し候」とあります。

むずかしい早口の「言い立て」を、六歳の勸玄君が一人でできるのであろうか。歌舞伎座をうめた満員の観客は、まるで親戚の子の晴れ舞台のような緊張感でじっと見守ります。そのなかを花道から、外郎売に姿をかえた曽我五郎役の海老蔵に連れられて、貴甘坊役の勸玄が、親子そろいの華やかな水色の衣装で登場します。そして、よく通る声で堂々と『外郎売』の長台詞を披露しました。まさに割れんばかりの拍手と掛け声です。次の日は、海老蔵が体調を崩し、はじめて休演するというハプニングがありましたが、たった一人で、まえの日よりもさらにきりりとした表情で演じきりました。

「歌舞伎十八番」のうち『外郎売』は、團十郎襲名を嘱望された子どもにとっての通過儀礼なのだそうです。江戸時代から、「家の芸」として演じられてきた『外郎売』です。江戸時代の観客も、この日のような親近感で『外郎売』を見守っていたのではないかと思います。長い歴史のなかで私が見たのはたった三回です。役者は変わってもこれからも続いていく、まさに伝統芸能なのでしょう。

その伝統芸能を自分の声で少しだけ体験できるのが『外郎売』です。歌舞伎役者になったような気分で、楽しくお腹から声を出してみてはいかがでしょうか。練習用の『外郎売』を載せました。『外郎売』にはさまざまなテキストや読み方があります。このテキストは、江戸時代のはじめのものに近い内容で、現在演じられている台詞とは少し異なります。

外郎売《ういろううり》

拙者親方《せっしゃおやかた》と申すは、お立ち合いのうちに、ご存じのお方もござりましょうが《か゚》、お江戸を発《た》って二十里上方《かみか゚た》、相州《そうしゅう》小田原、一色町《いっしきまち》をお過ぎ《き゚》なされて、青物町《あおものちょう》を上《のぼ》りへおいでなさるれば、欄干橋虎屋藤右衛門《らんかんばしとらやとうえもん》、只今は剃髪《ていはつ》いたして圓齋《えんさい》と名乗りまする。元朝《がんちょう》より大晦日《おおつごもり》まで、お手に入れまするこの薬は、昔、陳《ちん》の国の唐人《とうじん》、外郎《ういろう》という人、わが《か゚》朝《ちょう》へ来たり。帝《みかど》へ参内《さんだい》の折から、この薬を深く籠《こ》めおき、用ゆるときは一粒ずつ、冠の透《す》き間より取り出《いだ》す。よってその名を帝より「透頂香《とうちんこう》」とたまわる。即《すなわ》ち文字《もんじ》には「頂《いただ》き・透《す》く・香《におい》」と書いて、「透頂香《とうちんこう》」と申す。

只今はこの薬、ことのほか世上《せじょう》に広まり、ほうぼうに偽《にせ》看板を出《いだ》し、イヤ小田原の、灰俵《はいだわら》の、さん俵の、炭俵のと、いろいろに申せども、平がな《か゚》をもって「ういろう」と記《しる》せしは、親方圓齋ばかり。もしやお立ち合いのうちに、熱海か塔の沢へ湯治《とうじ》においでなさるか、または伊勢参宮《さんぐう》の折からは、必ず門《かど》ちがい《か゚》なされまするな。おのぼりならば右《みき゚》のかた、おくだりなれば左側《か゚わ》、八方《はっぽう》が《か゚》八つ棟《むね》、おもてが《か゚》三つ棟、玉堂造《ぎょくどうづくり》り、破風《はふ》には菊に桐の薹《とう》の御紋《ごもん》を御赦免《ごしゃめん》あって、系図《けいず》正しき薬でござる。

イヤ、最前より家名《かめい》の自慢ばかり申しても、ご存じないかたには、正身《しょうじん》の胡椒《こしょう》の丸呑《まるの》み、白河夜船《しらかわよふね》。さらば一粒《いちりゅう》食べかけて、その気味合《きみあ》いをお目にかけましょう。まずこの薬を、かように一粒《ひとつぶ》舌の上にのせまして、腹内《ふくない》へ納めまするど、イヤどうも言えぬわ、胃《い》・心《しん》・肺《はい》・肝《かん》が《か゜》すこやかになって、薫風喉《くんぷうのんど》より来たり、口中微涼《こうちゅうびりょう》を生ずるが如《か゜こ゜と》し。魚鳥茸麺類《うおとりきのこめんるい》の食い合わせそのほか、万病即効《まんびょうそっこう》あること神の如《こ゜と》し。

さて、この薬、第一の奇妙には、舌の回ることが《か゜》銭独楽《ぜにこ゜ま》が《か゜》はだしで逃げ《け゜》る。ひょっと舌が《か゜》回り出すと、矢も楯《たて》もたまらぬじゃ。そりゃそりゃ、そらそりゃ、回ってきたわ、回ってくるわ。アワヤ喉《こう》、サタラナ舌《ぜつ》に、カ牙《かけ゜》、サ歯音《しおん》、ハマの二つは唇の軽重、開合《かいこ゜う》爽やかに、アカサタナハマヤラワ、オコソトノホモヨロヲ。

一つへぎ《き゜》、へぎ《き゜》に、へぎ《き゜》干しはじかみ。盆豆《ぼんまめ》・盆米《ぼんこ゜め》・盆《ぼん》ごぼう。摘み蓼《つみたで》・つみ豆・つみ山椒《しょ》。書写山《しょしゃざん》の社僧正《しゃそうじょう》。小米《ここ゜め》の生噛《なまか゜》み、小米《ここ゜め》の生噛《なまか゜》み、こん小米《ここ゜め》の小生噛《なまか゜》み。繻子《しゅす》・緋繻子《ひじゅす》・繻子・繻珍《しゅちん》。親も嘉兵衛《かへえ》、子も嘉兵衛《かへえ》、親かへい子かへい、子かへい親かへい。古栗《くり》の木の古切口。雨合羽《あまか゜っぱ》か、番合羽《ばんか゜っぱ》か。貴様の脚絆《きゃはん》も皮脚絆、我らが《か゜》脚絆も皮脚絆。しっ革袴《かわばかま》のしっぽころびを、三針はり長《なか゜》に、ちょと縫《ぬ》うて、ぬうてちょとぶん出せ。かわら撫子《なでしこ》・野石竹《のせきちく》。のら如来《にょらい》、のら如来、三《み》のら如来に六《む》のら如来。一寸先《ちょとさき》のお小仏《こぼとけ》に、おけつまずきゃるな。細溝《ほそみぞ》にどじょにょろり。京の生鱈《なまだら》、奈良、生《なま》まな鰹《かつお》、ちょと四五貫目《しごかんめ》。お茶立ちょ、茶立《だ》ちょ、ちゃっと立ちょ、茶立《だ》ちょ、青竹茶筅《あおだけちゃせん》でお茶ちゃと立ちゃ。

来るわ来るわ何が《か゜》来る。高野《こうや》の山のおこけら小僧。狸百匹、箸《はし》百膳、天目《てんもく》百ぱい、棒八百本《ぼうはっぴゃっぽん》。武具《ぶく゜》・馬具《ばく゜》・武具《ぶく゜》・馬具《ばく゜》・三武具馬具《みぶく゜ばく゜》、あわせて武具《ぶく゜》・馬具《ばく゜》・六武具馬具《むぶく゜ばく゜》。菊・

栗・菊・栗・三菊栗、あわせて菊・栗・六菊栗。麦《むき゜》・ごみ・麦《むき゜》・ごみ・三麦《むき゜こ゜》ごみ、あわせて麦《むき゜》・ごみ・六麦《むき゜こ゜》ごみ。

あの長押《なけ゜し》の長薙刀《なか゜なき゜なた》は、誰《た》が《か゜》長薙刀《なか゜なき゜なた》ぞ。むこうの胡麻殻《こ゜まか゜ら》は、荏《え》の胡麻殻《こ゜まか゜ら》か真胡麻殻《まこ゜まか゜ら》か。あれこそ、ほんの真胡麻殻《こ゜まか゜ら》。がらぴぃがらぴぃ風車《かざ゜くるま》。おきゃが《か゜》れこぼし、おきゃが《か゜》れ小法師《ぼうし》、ゆんべもこぼして、またこぼした。たあぷぽぽ、たあぷぽぽ、ちりから、ちりから、つったっぽ、たっぽたっぽ干《ひ》だこ、落ちたら煮て食お。煮ても焼いても食われぬものは、五徳・鉄きゅう・金熊童子《かなくまどうじ》に、石熊《いしくま》・石持・虎熊《とらくま》・虎きす。中にも東寺《とうじ》の羅生門には、茨木《いばらき゜》童子が《か゜》、うで栗五合《く゜りこ゜んこ゜う》つかんでおむしゃる。かの頼光《らいこう》のひざもと去《さ》らず。

鮒《ふな》・きんかん・椎茸《しいたけ》、定《さだ》めてごたんな、そば切《き》り・そうめん・うどんか、愚鈍《ぐどん》な小新発知《こしんぼち》。小棚《だな》の小下《した》の小桶《おけ》に、こ味噌が《か゜》こあるぞ、こ杓子《しゃくし》こ持って、こ擂《す》ってこよこせ。おっと合点《がてん》だ。心得たんぼの、川崎・神奈川《かなかわ》・保土ヶ谷《ほどがや》、戸塚は走ってゆけば、やいとを摺《す》りむく三里ばかりか、藤沢・平塚、大磯《おおいそか》がしや、小磯の宿《しゅく》を、七つ起きして、早天《そうてん》そう〳〵、相州小田原透頂香《とうちんこう》。隠れござらぬ貴賤群衆《きせんぐんじゅ》の花のお江戸の花ういろう。アレ、あの花を見て、お心をお柔《やわ》らぎ《き゜》やという。産子《うぶこ》・這《は》う子に至るまで、このういろうのご評判、ご存じないとは申されまいまいつぶり、角《つの》出せ棒出せ、ぼうぼう眉《まゆ》に、臼・杵《きね》・すりばち、ばち〳〵、ぐゎら〳〵〳〵と、羽目をはずして今日《こんにち》おいでのいずれも様に、あげ《け゜》ねばならぬ売らねばならぬと、息せい引っ張り、東方《とうほう》世界の薬の元締《もとじ》め、薬師如来も照覧《しょうらん》あれと、ホホ敬《うやま》って、ういろうはいらっしゃりませぬか。

二、古典芸能に親しむ

古典芸能のなかでも、能、狂言、文楽は、とくに難解だと感じている人が多いと思います。歌舞伎に比べるとテレビなどメディアでの紹介も少なく、どう鑑賞してよいのか手がかりが見つからないという人もいます。一方、その世界に魅せられ毎月のように劇場に足を運ぶ方もいます。

私はというと、職場で腹式呼吸や発声にもよいからと謡《うたい》の同好会に誘われましたが、二十代の新人アナウンサーには参加する余裕がありませんでした。その後、母が還暦を過ぎてから、謡の稽古に通い出しました。長年あこがれていたのだそうです。その後三十年近く、テープを聞きながら暇さえあれば練習をしていました。孫たちはその独特の抑揚のある声が今も忘れられないといいます。練習していた謡本《うたいぼん》は「あなたにあげるから」と遺言のように言われ続けていたのですが、まったく歯が立ちません。声の仕事をしているからには謡曲も勉強するべきだと思いつつ、いまだに実現していません。

世界中のエンターテインメントが楽しめる日本ですが、古典芸能は大人の世代にとっても敷居の高いものになっています。今の若い学生のなかには、生の舞台を観賞することがないまま卒業する人も多いのではないか、と心配になってきました。古典芸能の関係者も、このままでは近世から続いてきた伝統芸能がすたれてしまうと、危機感を抱いています。

鑑賞教室に足を運ぶ

独立行政法人日本芸術文化振興会では、古典芸能を多くの人に親しんでもらうためにさまざまな企画をおこなっています。国立劇場での歌舞伎・文楽鑑賞教室や国立能楽堂での能・狂言の鑑賞教室、さらに「文化デジタルライブラリー」という伝統芸能の情報Webページではわかりやすい作品解説もしています。これは、政府が推進する「教育の情報化プロジェクト」の一環として構想されたもので、私も、能の『葵上』『隅田川』を紹介する映像でナレーションを担当したことがあります。収録はかなりまえのことですが、長く残る専門的なものなので、とても緊張して収録に臨んだことを記憶しています。古典芸能に精通しているディレクターに相談しながら、読み方やアクセントに間違いのないよう、鼻濁音もすべての原稿に印を入れ、わかりやすく読めたらと念入りに準備をしました。現在でも検索するとネット上でその録音を聞くことができます。

歌舞伎・能・狂言・文楽などの鑑賞教室にも学生と足を運びました。昨年夏、国立劇場大劇場の歌舞伎鑑賞教室にゼミの学生と行ったときは、出演者によるアフタートークがおこなわれる特別の日でした。演じているときとは異なるリラックスした歌舞伎俳優のみなさんの楽しいお話で、最後にはクイズまであり、会場は大いに盛り上がりました。同行の学生の一人に隈取《くまどり》の額が賞品としてあたるというハプニングもあり、歌舞伎は堅苦しいものではないとみな思ったようです。国立劇場では、だれもが古典芸能を身近に感じられるように、さまざまな工夫をしているのがわかります。

太夫の声と三味線の音

冬には国立劇場小劇場の「文楽鑑賞教室」に百人の学生と参加してみました。文楽は、能・狂言や歌舞伎とともに、ユネスコの無形文化遺産に登録されています。若い世代に受け入れられるか心配していたのですが、「想像していたよりずっとおもしろい」「文楽の魅力を知ることができた」と大好評でした。前半の演目は『伊達娘恋緋鹿子《だてむすめこいのひがのこ》　火の見櫓の段』です。恋する人の危機を救うため、お七が火の見櫓に登って半鐘を鳴らすシーンでは、人形が生きているように感じる瞬間がありました。太夫《たゆう》の語り、三味線、そして人形遣いの息の合った舞台に感銘を受けました。

そして、この日の解説が実に楽しいのです。文楽はもともと大阪で発生したものですから、解説も上方アクセントです。言葉の選び方にも笑いのセンスが感じられます。文楽には時代物と世話物があり、もともとは気軽にだれでも楽しめる大衆芸能であったこと、一六世紀末に人形芝居と浄瑠璃が出会い「人形浄瑠璃」として上演されるようになったこと、いくつかあった座のなかで大阪の文楽座が唯一残り、そのため「文楽」が人形浄瑠璃の代名詞となったこと、などをわかりやすく解説します。

また、人形についての解説は実演もまじえておこなわれました。顔や右手を操作する「主遣《おもづか》い」と左手を操作する「左遣い」、足を動かす「足遣い」、この三人の息がぴったり合っていないと人形が手を合わせるしぐさもできません。足遣い、左遣いをそれぞれ十年以上経験して、やっと「主遣い」になれるのだということです。

太夫とともに義太夫節を演奏する三味線は、楽器で登場人物の心情やさまざまな情景を奏でます。音の強弱や音色、音と音のあいだの「間」にも意味があるのだそうです。「つーん」というたった一つの音で、場内が一瞬にして悲しみに包まれたことに驚きました。

さらに、生の声で会場のすみずみまで届く、太夫の語りの迫力に圧倒されました。一人の太夫が、場面の描写や状況説明から、登場人物の台詞や気持ちも語ります。若い男女もお爺さんもお婆さんも瞬時に演じわけます。座った姿勢で腹式呼吸をスムーズにおこなうために、尻引《しりひき》という小さな台座にすわり、両足の指は立てています。さらに腹帯《はらおび》をきつくしめ、重さ一キロほどのオトシをお腹に入れるということです。

大阪にある国立文楽劇場の資料室には、その尻引・腹帯・オトシなどが展示されていました。実際にこの太夫の姿勢を真似して声を出してみると腹式呼吸がしやすく、深く太い声が出ました。なお、資料室で流れている解説ビデオも、共通語ではなく、なにわ言葉でおこなわれています。

歌舞伎と人形浄瑠璃の二大演劇は、権力者からの庇護を受けて発展したのではなく、庶民からの収入で成り立った芸能です。それだけ、大衆に大いに受け入れられた芸能であったのです。しかし現在では、義太夫節を語るお年寄りも非常に少なくなっています。

この日の小劇場は中高年の方々でいっぱいでした。皆さん学ぶことに意欲的です。文楽は、テレビの中継番組などの小さな画面でみても、その魅力が十分には伝わりません。実際に足を運んで生の舞台で鑑賞してこそ、人形が生きているように動き出す迫力とおもしろさを実感できるものだと納得しました。

能楽をうつくしい舞台で

さらに、今年の夏は国立能楽堂でおこなわれる「国立能楽堂ショーケース」に申し込みました。これは、これまで能や狂言を見たことがない人や日本を訪れる海外の人々にも、能楽を通して日本文化に親しんでもらおうというものです。能楽についての解説に続き、コンパクトにまとめた狂言の『附子《ぶす》』と能『羽衣《はごろも》』が演じられる予定です。英語やフランス語などの字幕スーパーもつくそうです。

国立能楽堂は、新しくなった国立競技場と同じ千駄ヶ谷駅にあり、改札を出て右へ行けば能楽堂、左へ行けば国立競技場です。木目のうつくしい能楽堂の舞台を見て、若者たちがどのような反応をするのか楽しみです。古典芸能は、人々の暮らしや言葉は変化しても、いつの時代も変わらない人間の姿を伝えます。とにかく劇場に足を運び、私たちの聴覚や視覚をフル回転させることで真の魅力を味わうことができるもののようです。

三、明治時代の朗読論争

日本の朗読の起源はいつでしょうか。古くは天の岩屋戸神話にまでさかのぼるという説があります。祝詞や説教、または講談や落語などの話芸、古典芸能の流れのなかにあるという考えもあります。一方で、文字のない時代から家々では昔話が語られてきました。庶民のあいだで語り継がれてきた口承文芸も、朗読の起源と言えるかもしれません。

森鷗外と坪内逍遙の朗読論争

明治時代の教育関係者や文学者たちは朗読に関心を持ち、朗読会をおこなっています。一八九一年（明治二四年）、坪内逍遙が東京専門学校で朗読会を開催しました。その朗読会をきっかけに坪内逍遙と森鷗外のあいだで朗読論争が繰り広げられました。

新聞紙上や『早稲田文学』『しがらみ草紙』などを舞台に、明治時代を代表する二人の文学者が、朗読や「読法」について意見をたたかわしている——その姿を想像するだけで胸が躍ります。現代の文壇の大御所が文学論をたたかわすことはあっても、朗読法について論争することはまずないように思うのです。

今から一三〇年もまえのことですから、話し言葉と書き言葉に大きな隔たりがあり、言文一致が試みられていた時代です。テレビやラジオの影響もなく、日本中がその土地の言葉、いわゆる方言で話していたと考えられます。一般の人々が聞いていたのは、浪花節や講談、落語、説教、浄瑠璃などで、演劇といえば歌舞伎を意味していました。

森鷗外は、逍遙が朗読会をおこなうことには好意的でしたが、二人のすすめる朗読法には異なるところありました。鷗外は『朗読法につきての争』のなかで、訛りを矯正し、わかりやすく伝えるために発音を正しくし、感情に流されないように読むことが大切だと述べています。我を忘れて作品中の人物になりきる俳優の演技のような一人称の読み方ではなく、三人称の読み方をするべきだというのです。朗読は芝居ではなく、うつくしく読む表現方法であるから、声色遣いや、物まね芸をする必要はないと考えていたようです。

芸術の末席にある朗読

一方の坪内逍遙は『讀法を興さんとする趣意』のなかで、朗読を「機械的読法」、「文法的読法」、「論理的読法」の三つにわけています。「機械的読法」はいわゆる素読で、文字を音声化して読み流すものです。謝辞、祝辞、答辞などがこれにあたるといいます。たしかに現在でも儀式などの挨拶の言葉は機械的になりがちです。

次の「文法的読法」は、文章の意味をくみ取り、よく読み込んで解釈をした読み方です。わかりやすく伝えるために、発音発声を正しくし、抑揚や声の張り、緩急や句読点も文の意味に従わなくてはならないとしています。そのためには、読み手の読み込みが必要であると書いています。これは、現在の私たちが実践している、朗読の基本的な考え方とほぼ同じであることに驚きます。逍遙はさらに、朗読の目的は「人に解せらるる」ことで「朗読は芸術の末席にある」とも書いているのです。

三つ目の「論理的読法」では、文章の深い意味を考え、聞き手の聴覚に訴え、感銘を与えるためには、我を忘れて作品中の人物になりきる俳優の演技のような一人称の読み方も、論理的に必要ならばするべきだとしています。したがって悲しみや怒りも声に表し、笑うべきところでは笑う必要があると書いています。これは森鷗外と意見が分かれた点です。

坪内逍遙と森鷗外は、朗読についてなぜこのように熱く語り合ったのでしょうか。二人は多少の意見の違いはありますが、朗読の意味や将来性については共通の思いがあったように思います。現代では「本を読む」といえば黙読ですが、当時の一般の人にとって、本は音読してもらって聞くものでした。近代文学の創成期で、読書の形が音読から黙読に移行していく時代だったからこそ、二人には、朗読を再認識させたいという思いがあったようです。そして、近代文学を昔ながらの素読ではなく、新しい形の朗読で表現することはできないかと、その可能性を模索し提案していたのでしょう。

坪内逍遙の肉声

早稲田大学の前身は、逍遙が朗読会をした東京専門学校です。キャンパス内にある演劇博物館は、一九二八年（昭和三年）、坪内逍遙が古稀に達したのと、『シェークスピヤ全集』四十巻の翻訳が完成したのを記念して設立された、アジアで唯一の演劇専門博物館です。逍遙本人の発案で、エリザベス朝時代のイギリスの劇場「フォーチュン座」を模して設計されたうつくしい建物です。女子学生と一緒に見学に行くと「かわいい」と口々に言います。正面には「この世はすべて舞台」というシェイクスピア劇の台詞がラテン語で掲げられています。

その建物の入り口近くに逍遙の肉声を聞くことができる装置がありました。逍遙の朗読はインターネットや古いレコードにもありますが、じっくり聞いてみると登場人物になりきっての抑揚のある朗読です。古い録音ですが、滑舌もよく言葉がはっきりと伝わってきます。それは、近代日本文学の成立や演劇改良運動に精力的に取り組んだ、逍遙の姿を彷彿とさせる張りのある力強い声でした。

第七章

朗読を共有する

一、仲間で楽しむ朗読

二十年続いているＮＨＫ文化センターの朗読クラスでは、毎年三月末に小さな発表会をおこなっています。限られた時間内でどのような作品を選ぶのか、作品のどの部分をどう読むのか、三十代から八十代までのメンバーは大いに悩んで練習され、発表会の日を迎えます。取り上げる内容は非常に個性的で、今年もさまざまな朗読を楽しみました。小説や随筆はもちろん、古典作品や短歌、俳句、詩、昔話など分野は自由です。自分が日ごろあまり読まない文章を紹介される方もあって、こんな魅力的な作品もあったのか、次はあの作家の本を読んでみたいなどと、お互いに刺激を受けます。その作品を選んだ方の、普段は気づかなかったお人柄を知ることができるのも発表会のよさです。ユーモアあふれるエッセイには思わず笑いがこぼれ、老いや孤独について書かれた文章には考えさせられ、童話や昔話は子どもになった気持ちで楽しみます。なかには自作の童話を披露した方もありました。「○○さんのあの年の朗読は忘れられない」と、みなさんの記憶に残る名文の朗読もありました。

人のまえで朗読するとうまくなる

一年間一緒に学んだ仲間と、練習の成果を披露し合うのは楽しみなものです。ご本人は去年と比べてそれほど上達していないように思うかもしれませんが、確実に「伝える力」が身についていると感じました。芸事や趣味は人のまえで披露すると一段と上達するといいます。恥ずかしがらずに楽しんで挑戦をするのが、上達のコツなのでしょう。

一人の持ち時間は三分です。みなさんが苦労するのが、この三分という時間にどうやって入れるかです。短くてインパクトのある作品選びができても、そのまま読むのは時間的に無理なので、作者に申し訳ないと思いながら、抜粋し編集しなければなりません。さらに、原稿を読みやすいように書き写し、拡大し、書き込み原稿を作り、まさに作品と格闘しながら下読みをしていきます。その作業に熱心に取り組んだ方の朗読は完成度が高く、ご本人の満足度も高いような気がします。今年も全員の顔に自分なりに取り組んだという達成感が感じられ、つたない指導者ではありますが、私も嬉しくなりました。

スピーチの力もついて

さらに今年は、終わったあとに感想や解説をお聞きしました。そのスピーチの内容が興味深く、どなたも話し上手で再び感動しました。クラスに入ったときは、人のまえで話をするのが苦手だという方や、一日中だれとも話さないので声が出ないという方、「ボケ防止」のために来ているという方もいたのに、だれもがユーモアもまじえ素敵な笑顔でのびのびと話をなさいます。みなさん知らないうちにスピーチも得意になっていたのです。改めて、朗読を学ぶことは普段の話し言葉も磨いてくれるのだと確信しました。来年はどなたがどのような朗読を披露してくださるのか、今から楽しみです。

二、登場人物や作者の思いを推しはかりながら読む
〜三浦しをんさん

三浦しをんさんは、ひろい世代に愛読者の多い作家です。直木賞や本屋大賞などの文学賞を受賞し、これまでに魅力的な話題作を次々に発表しています。『舟を編む』では辞書作り、『風が強く吹いている』では箱根駅伝、『神去なあなあ日常』では林業、『仏果を得ず』では文楽と、世界は異なっても、主人公が未知の世界に挑み一途に打ち込む姿に心打たれます。十文字学園女子大学の公開講座においでいただくことが実現し、私は司会を務めました。当日は文楽を中心に伝統芸能についての鼎《てい》談もおこなわれ、学生たちや会場のみなさんは三浦さんの作品とともに魅力的なお人柄にも触れることができました。そこで、朗読教室で新作の『愛なき世界』を取り上げ、一年かけて読むことにしました。三浦さんは、この作品で二〇一九年の日本植物学会賞特別賞を受賞しています。研究者ではなく小説家が受賞するのははじめてのことだそうです。

先日、後半のあるシーンを一人のメンバーの方が読み終わると、聞いていた他のみなさんから「よかった」「きょうお休みの人に聞かせたかった」と思わず拍手がでました。実はこの日は台風の影響で欠席者が多かったのです。このように自然な拍手が出ることはめったに

ないことです。それぞれの分担が決まって、自宅で何度も練習し、緊張しながらも人のまえで読む。そうした繰り返しのなかで納得のいく朗読ができたときに、仲間がほめてくれるのは嬉しいものです。その方が読んだのは、この素敵な場面です。

「本村さん、まえに言いましたよね。『植物は愛のない世界に生きてるから、自分もだれともつきあわないで、植物の研究にすべてを捧げる』って」

「はい」

「それについて、ずっと考えてました。一年近く考えて、本村さんや研究室のひとたちのことを見てて、なんとなくわかった気がするんです。本村さんは、愛のない世界を生きる植物のことを、どうしても知りたいんだ。だからこんなに情熱を持って研究するんだ、って」

うまく言えなくて歯がゆい。本村は黙って藤丸を見ている。藤丸は必死に思いを言葉にしようとした。

「その情熱を、知りたい気持ちを、『愛』って言うんじゃないすか？　植物のことを知りたいと願う本村さんも、この教室にいるひとたちから知りたいと願われてる植物も、みんなおんなじだ。同じように、愛ある世界を生きてる。俺はそう思ったっすけど、ちがうっすか？」

愛などという単語をこんなに真剣に口にしたのははじめてで、藤丸は顔面にどっと血が上るのを感じた。ぎこちなく台車に手をかけ、

「じゃ、これで失礼します」

と歩きだそうとする。

「藤丸さん」

本村に呼び止められ、藤丸は振り返った。もううつむかず、本村は静かな声で言った。

「たまに、思うんです。植物は光合成をして生き、その植物を食べて動物は生き、その動物を食べて生きる動物もいて……。結局、地球上の生物はみんな、光を食べて生きてるんだなと」

「光を食べて……」

「はい。藤丸さんも、私も、植物も、同じように」

微笑む本村の目は、希望に似た輝きを帯びていた。「ありがとうございます、藤丸さん」

すっかり暗くなった道を、台車を押して帰る。円福亭の看板は電気が消えていたが、店内の明かりが路地に差していた。

ドアを開けると、フロアの椅子に座った円谷が、

「おう、おかえり」

と読んでいた新聞を畳んだ。
「大将、待っててくれたんすか」
「力つきて、一休みしてたんだよ。ひさしぶりに一人で店を切り盛りしたら、腰が痛くてかなわねえ」
「またまたー」

（『愛なき世界』中央公論新社　二〇一八年）

この日の朗読の何がよかったのかを考えてみると、登場する人物の会話が自然で、まるで目のまえで聞いているようだったのです。シロイヌナズナの研究に没頭する大学院生の本村は、純粋でまっすぐな性格です。研究室に出前を届けにくる藤丸は定食屋の見習いで、本村に何度もふられてしまいます。読みすすめていくうちにメンバーが「藤丸君は本当にいい子。私、藤丸君が好きなんです」とおっしゃるほどの好青年です。また、定食屋の店主である円谷は言葉づかいは少々乱暴ですが、心の温かい大将です。

本村の会話は若い女性の声、藤丸は現代の若者、円谷は荒っぽい太い声というように声色を変えて読んでいるのでもなく、芝居のように演じているのでもありません。しかし、まるでそこに人物がいるような臨場感のある会話で、彼らの思いが聞き手に伝わってきました。はじめのころは、舞台が生物学の研究室ですから、理科系は苦手だと感じていた人もいました。シロイヌナズナという植物の名が言いにくくて引っかかっていた人もいました。しかし、ユーモアのある躍動感に満ちた文章を読むうちに、登場人物の気持ちを推しはかって読むことができるようになってきたのです。その結果、その人物の呼吸、息で読むことが自然にできたのだと思います。

会話のまえで息を吸い、その人物の気持ちになります。そして、その人物がするであろう息の上に声をのせます。本村は控えめで静かな息づかい、藤丸は少しせっかちで勢いのある息づかい、円谷は太い中高年の息づかいでしょうか。会話以外の地の文はあくまで冷静に淡々と落ちついた呼吸で読みます。

ここまでの一年間で、登場人物への何ともいえない親しみ、大げさに言えば「愛」が自然に生まれました。さらに、作者の作品に込めた思いやメッセージにも共感しながら朗読を楽しむことができました。研究者はなぜ研究に打ち込むのか。コツコツと地味な実験や観察を積み重ねて研究することの喜びやうつくしさが見えたように思います。『愛なき世界』というタイトルの持つ深い意味を考えることができました。

登場人物や作者の思いを推しはかりながら朗読することで、文字は起き上がりいきいきと聞き手の耳に届きます。もともと、登場人物や作者の思いを推しはかることは、読書の大きな楽しみの一つでした。声に出すことでその楽しみがより深まるということでもあるのでしょう。

ところで、三浦さんの作品を朗読するときに、私たちは心地よいリズムを感じながら自然に読めることに気がつきました。作家として作品を書くときに、三浦さんご自身は声に出して読んだり、登場人物の台詞を言ってみたりなさるのでしょうか。

念願がかなって三浦さんにお越しいただいたあの公開講座の日に、それをお聞きすればよかったと今ごろ悔やんでいます。

※

このあと、出版社の担当の方にお願いして、作品を引用させていただいてよいかお尋ねしました。すると、三浦さんご自身から、丁寧なメッセージを頂戴し感激しているところです。そのうえ、公開講座の当日、私が聞き逃してしまったことにもお答えくださったのです。三浦さんは、基本的に小説執筆中はずっと無言だそうです。ただ、ちょっとリズムが悪いかなと思ったときには、地の文でも会話文でも、声に出して読んでみて確かめることはあるとのことでした。また、会話文を書くとき、それぞれの登場人物の「声」が頭のなかで聞こえていて、それを書き写しているような気持ちになることがたまにあるそうです。そういうときは書いていて楽しく、朗読していて乗ってくるときの感覚と同じなのかな、などと想像したということでした。

さらに、相手（登場人物など）の息をつかむのは、朗読においても、小説を書くときにも、大事なんだな、勉強になったと書いてくださったのです。お忙しいなか、このようなありがたいメッセージをいただき、これからもますます張り切って、みなで朗読に取り組んでいこうと思いました。

三、図書館のイベントに参加する

全国各地の図書館は、その土地ゆかりの作家についての展示や、講演会などをおこなっています。図書館に足を運ぶとさまざまなイベントのお知らせがあり、目移りするくらいです。この秋、公共図書館主催の講演会と、図書館員の解説による「漱石さんぽ」に参加しました。

飯田橋の駅に集合した「漱石さんぽ」の参加者は男女合わせて十三人、元気な中高年の方々です。案内の図書館員は七人、総勢二十人のグループで神楽坂や早稲田界隈を歩く二時間のウォーキングです。まず訪れたのは、東京理科大学の近代科学資料館です。小説『坊っちゃん』の主人公の出身校「東京物理学校」の外観を復元した建物です。その後、趣のある毘沙門横丁の石畳を見ながら神楽坂へとすすみます。現在はお洒落な街として人気の神楽坂ですが、かつては「山の手の銀座」と呼ばれていました。

漱石、紅葉、逍遙といった文豪たちが愛用したのは老舗の文具店「相馬屋」の原稿用紙です。ここの名入りの原稿用紙を使用することが、一流作家の証だったといいます。「相馬屋」まえの急な坂には、落語好きの漱石が通っていたという寄席があったそうです。その後早稲田の「夏目漱石生誕之地」の石碑まで歩き、「漱石山房記念館」がゴールです。敷地内にはバショウやトクサなど、かつて山房の庭にあった植物が植えられ、記念館のなかには書斎が再現されています。ここで毎週木曜日には、門下生の集う「木曜会」がおこなわれていたのです。図書館員の丁寧な案内を聞きながらたっぷり歩き、作家の足跡をたどることができました。きっと作品の理解にも役立つことでしょう。スタッフのみなさんは三回の下見をして計画を練ったとのこと。配布された資料も手作りで、その熱心な準備に頭が下がります。そして、参加者の方々が漱石に詳しくて驚きました。好きな作品や作家を軸に、人と人はつながることができます。電子図書も普及してきましたが、図書館は本をきっかけに人と関わる場所づくりもしてくれます。ちょうど秋晴れの気持ちのよい日で、地域の方々とおしゃべりしながらの楽しく健康的な午後でした。

図書館主催の講演会にも参加

この文学散歩のまえに公立図書館主催の講演会がありました。講師は早稲田大学名誉教授の中島国彦さんです。

この講演会に先駆けて、好きな漱石作品を市民に選んでもらう投票をおこなったところ、『吾輩は猫である』が一位だったそうです。私の朗読教室でも、この作品に挑戦したことがあります。最近は猫好きの人も多く、笑いとひねりのある文章を堪能しました。しかし、この作品は、実に長いのです。全集の第一巻にやっと収まるボリュームです。しかも、後半は一文が長く、最後まで読み上げるのに苦労しました。

中島さんのこの日の講演会の主旨は、『吾輩は猫である』の表面的なおもしろさだけでなく、真のおもしろさ、深いおもしろさを読み解こうというものです。この作品には、漱石のその後の作品の要素がすべてがつまっているというお話でした。

講演会の最後に、漱石の研究家として、どう朗読するのがよいと考えていらっしゃるのか、質問しました。中島さんは「朗読には朗読のメソッドがあると思うが」と前置きしたうえで、それぞれの「作品にあったスピードがあるのではないか」とおっしゃいます。『坊っちゃん』や『吾輩は猫である』などの、短い時間に一気呵成に書かれた作品を読む場合は、朗読でも黙読でもスピード感が必要であり、逆に『明暗』などの作品はゆっくり読むのがふさわしいということでした。

漱石も朗読に関心をもっていた

その『吾輩は猫である』を最初に朗読したのは、俳人の高浜虚子です。英国留学から帰国し憂鬱そうにしていた漱石に文章を書くことをすすめた高浜虚子に、漱石はできあがった小説を見せ、「一つ読んでみて呉れませんか」と言ったとのこと。その場で朗読した虚子が吹き出してしまうようなユーモラスな作品で、さっそく俳句雑誌「ホトトギス」に掲載されたのです。『吾輩は猫である』というタイトルも虚子のアイデアだといいます。虚子は漱石のまえで、『吾輩は猫である』をどのように朗読したのでしょうか。明治の文学者たちは、声に出して読むことをあたりまえに実践していたのがわかります。漱石や弟子たちは、当時流行し始めた朗読に興味を持っていたのでしょう。『吾輩は猫である』のなかには、朗読という言葉が十七回登場します。東風子と先生の会話です。

「同志丈がよりまして先達てから朗読会といふのを組織しまして、毎月一回会合して此方面の研究を是から続け度《た》い積りで、既に第一回は去年の暮に開いた位であります」「一寸伺つて置きますが、朗読会と云ふと何か節奏《ふし》でも附けて、詩歌文章の類を読む様に聞えますが、一体どんな風にやるんです」「まあ初めは古人の作からはじめて、追々は同人の創作なんかもやる積りです」「古人の作といふと白楽天の琵琶行《びわこう》の様なもので ゝ もあるんですか」「い ゝ え」「蕪村の春風馬堤曲《しゅんぷうばていきょく》の種類ですか」「い ゝ え」「それぢや、どんなものをやつたんです」「先達《せんだつ》ては近松の心中物をやりました」「近松？　あの浄瑠璃の近松ですか」近松に二人はない。近松といへば戯曲家の近松に極つてゐる。夫を聞き直す主人は余程愚《ぐ》だと思つて居ると主人は何も分らずに吾輩の頭を叮嚀に撫で ゝ 居る。

（『定本　漱石全集』第一巻　岩波書店　二〇一六年）

東風子は芝居に近い朗読劇のようなものから、いずれは同人の創作も発表する場にしたいと言っています。この他、結婚式で新郎新婦のために新体詩を朗読したいと語り、婦人を朗読会に招待したという話も出てきます。デートに朗読会へ行くのが流行していたのでしょうか。コンサートに出かけるように、若い男女が着飾って朗読会へ行くことが、明治時代はお洒落なことだったのかもしれません。

四、伝える心でプレゼンテーション

プレゼンテーションの天才といえば、亡くなったアップル社のスティーブ・ジョブズです。大きなスクリーンのまえにTシャツとジーンズという軽装で立ち、新商品を魅力的に伝える姿に、世界中の人々は感心し、つい商品を手にしたくなりました。また、「TEDカンファレンス」という講演会では、日本人を含めた世界のプレゼンターが登場して魅力的なプレゼンテーションをおこない、その内容はテレビやインターネット上でも公開されています。このような本格的なプレゼンテーションは真似できない、そもそもプレゼンテーションとは依頼主（クライアント）をまえにおこなうもので、自分には無縁だと思っている人も多いことでしょう。

しかし、プレゼンテーションは、自分の考えを他の人が理解しやすいように伝える自己表現の一つです。職場での報告や提案も、地域や学校での行事などの説明も、テレビ番組や映画も、さらに朗読も、いわばプレゼンテーションです。私たちは知らずにプレゼンテーションを日々おこない、見ているのです。

人のまえで自分の考えを的確に述べるのは簡単ではありません。しかし、聞き手に自分の思いを伝えるために工夫するのは楽しいもので、うまくいくと達成感が得られます。どうすれば効果的なプレゼンテーションができるのか、その魅力とコツを考えてみます。

シンプルに自然体で

プレゼンテーションは三つのプロセスで考えます。まず、本や雑誌、インターネットなどを使って、テーマに関連した情報や伝えたい要素をあらゆる方面から集めます。これを「拡散」といいます。熱心に集めるとそのすべてに愛着がわき、選ぶのはむずかしいのですが、テーマに沿って思い切って取捨選択します。これが「収束」です。「拡散と収束」が、最初のステップです。

二つ目のプロセスは「スライド作り」です。最近はパワーポイントを使ってスライドを作ることが多いと思います。ここで大切なことは「デザインはシンプルに」ということです。世界でベストセラーとなっている『プレゼンテーションZｅｎ』の著者ガー・レイノルズさんは、この本のなかで情報を盛り込みすぎたパワーポイントは聴衆の眠気を誘うだけだ、と繰り返し述べています。大学の講演会に奈良在住のレイノルズさんをお迎えしたことがありました。その日使われたスライドは、とてもシンプルで視覚に訴えるものでした。グラフも文字も必要なものだけを残し、みごとにそぎ落とされています。これは、日本の禅の精神に通じるものだそうです。

さらに、レイノルズさんの講演で感嘆したのは話し方のテンポとユーモアです。プレゼンテーション三つ目のプロセス「話し方」のポイントは「自然体」で話すことです。私たち日本人は改まった場所でパブリックスピーキングをするのに慣れていないのでしょうか。つい力んでしまい、緊張して自分が出せないという人が多いようです。レイノルズさんにとってパワーポイントのスライドはあくまでも補助役で、主役は話です。講演は英語でおこなわれたのですが、むずかしい単語は使わずテンポよく進んでいきます。「自宅のリビングに招いた友人をまえに話すような自然体」と、ジョークの味付けで、学生も教員もレイノルズさんのプレゼンテーションに引き込まれました。

日本のスピーチはいつから

そもそも、日本人はいつごろからスピーチをするようになったのでしょう。福澤諭吉の『學問のすすめ』十二編所収の『演説の法を勧るの説』に次のようにあります。

演説とは英語にて「スピイチ」と云ひ、大勢の人を會して説を述べ、席上にて我思ふ所を人に傳るの法なり。我國には古より其法あるを聞かず、寺院の説法などは先づ此類なる可し。西洋諸國にては演説の法最も盛にして、政府の議院、學者の集會、商人の會社、市民の寄合より、冠婚葬祭、開業開店等の細事に至るまでも、僅かに十数名の人を會することあれば、必ず其會に付き、或は會したる趣旨を述べ、或は人々平生の持論を吐き、或は卽席の思付を說《とき》て、衆客に披露するの風なり。

（『現代日本文學全集 51』筑摩書房 一九五八年）

スピーチ（演説）は、日本の話芸の系譜にないものだったのがわかります。福澤諭吉はさらに、学問は本を読んで知識を得るだけでなく、人と議論し、演説で人に向って意見をいうことも大切だと述べています。「學問の要は活用に在るのみ。活用なき學問は無學に等し」という言葉には説得力があります。

もともとスピーチに縁のなかった私たちが、現代では必要に迫られてプレゼンテーションや、発表をしなければならないことが多くあります。そうしたときに思い出したいのは、作家の井上ひさしさんが放送で使う言葉について述べた法則です。

むずかしいことをやさしく、
やさしいことを深く、
深いことを愉快に、
愉快なことを真面目に

さまざまな説がありますが、まわりの人にこう言っていたようです。だれにでもわかる平易な言葉で、内容のある深い話をユーモアや笑いも忘れずに話し、あとでよい話だったなあとしみじみ思ってもらえるような、スピーチやプレゼンテーションができたらと思います。心に残る話をするためには、自分の具体的な体験でストーリーを組み立てることも必要です。具体的なエピソードは、共感を誘い、それが聞き手の行動を促すきっかけになります。

プレゼンテーションは紙芝居であるといいます。また、テレビは電気による紙芝居だという人もいます。プレゼンテーションも、テレビ番組も、自分の思いを、自分の言葉でわかりやすく伝えるために工夫がいります。絵や映像が主になってそれに振りまわされるのではなく、伝えたいという話し手の勢いがもっとも大切なのです。

第八章

朗読で元気に

一、言葉で関わって健康長寿

先日、日本女子体育連盟の夏のセミナーで講演をしました。このセミナーは国立オリンピック記念青少年総合センターで毎年おこなわれているものです。今回のテーマは「ダイバーシティ（多様性）とダンス」です。生涯スポーツの指導者や学生たちが全国から集まり、二日間にわたってダンスの実技などの研修を受けます。参加者は五〇代から八〇代が中心ですが、どなたも、日ごろからスポーツをしているだけあって、きれいな姿勢ではつらつとしています。音楽に合わせてからだ全体を使って表現する姿は、見ているだけでこちらも元気になるものでした。その何としても伝えたいという勢いに心打たれます。思いを表現するという意味では、ダンスも朗読も同じなのではないでしょうか。

健康寿命をのばすためには

さて、健康や医療をテーマにしたシンポジウムのコーディネーターを務めて二〇年以上になります。最近のテーマは何といっても「健康寿命を延ばす」です。日本は世界に誇る長寿国ですが、寝たきりや認知症になって人の助けが必要な方も増えています。そうした状況のなかで寿命を延ばすだけでなく、健康に生活できる期間をどうやって延ばすかに関心が高まっています。「ぎりぎりまで元気でいたい、人さまの世話にはなりたくない」と思っている方も多いことでしょう。健康寿命を延ばすために注意したことは三つあります。「バランスのよい食事」「運動」、そして「人と関わる」ことです。

「バランスのよい食事」はどの世代にとっても基本です。中高年のみなさんは日頃からメタボ対策で体重コントロールに気を使っていると思いますが、ある年齢になると、むしろ低栄養にならないようにすることが重要なのだそうです。肉や魚、豆腐などのたんぱく質をしっかりとることに努めたいと思います。

「運動」の必要性は誰もがわかっていることです。しかし、むずかしいのは継続です。相当意志の強い人は別ですが、一人ではなかなか長続きしません。ダンスなどの生涯スポーツで仲間と楽しくできれば、きっと続けられるのでしょう。

そして、健康長寿や認知症予防のために最近とくに注目されているのが、「人と関わる」ことです。人と言葉を使ってコミュニケーションをとることが健康長寿のためにとても大切なのだということが、データからも証明されています。朗読は、だれかと一緒に一つの作品を読み合い、意見や感想を語り合い、笑い合い、朗読を軸に人と関わることができます。一人で読んでも楽しいのですが、人と関わりながら朗読をすることで楽しさも増します。そのうえ健康長寿にもつながるのです。

認知症予防のためにも朗読を

さらに、音読や朗読が認知症予防にもなるのではないかという研究が最近盛んにおこなわれています。これまでの実験で、音読や朗読をすると脳のさまざまな場所で血流が活発になることがわかっています。理学療法士の結城俊也さんは、脳を活性化するのに効果的な読書方法として、次の六つをあげています。

一、イメージを膨らませながら読む
二、作者や登場人物の気持ちを推しはかりながら読む
三、お気に入りの文章を覚えてみる
四、興味のない本も読んでみる
五、少しむずかしい本に挑戦する
六、書評を書いてみる

よい朗読のための工夫は、そのまま脳を若々しく保つためのポイントでもあったのです。

「言葉の花束」

さて、オリンピックセンターでおこなわれた講演では、「話す」「聞く」などのコミュニケーションについてお伝えしました。この日のタイトルは「言葉の花束」です。私たちは誕生したときから、さまざまな「言葉の花束」を受け取ってきました。誕生を喜んだ親やまわりの大人たち、地域の人、学校、職場の友や先輩、多くの人々にかけていただいた言葉に励まされ勇気づけられて、現在の自分があると感じます。しかし、言葉は棘のように心に刺さって、なかなか抜けないときもあります。それを乗り越える力を与えてくれるのも、言葉です。お互いに温かい「言葉の花束」を贈りあってよいコミュニケーションをとりたいものです。

各界でご活躍の方々は恩師からの忘れられない「言葉の花束」を受け取っています。アメリカのプロバスケットボールNBAでドラフト指名され大活躍の八村塁選手は、バスケットボールをはじめた中学生のとき、恩師に「おまえはNBAへ行くんだ」と言われたことが大きかったとインタビューで答えていました。全盲のピアニスト辻井伸行さんも、恩師の「器の大きなピアニストになれ」が、世界で活躍するきっかけになったそうです。そのような珠玉の言葉を、ちょうどよいタイミングで教え子に贈ることのできた教師は幸せです。まさに教師冥利に尽きるというものでしょう。

金栗四三の「言葉の花束」

二〇一九年の大河ドラマ『いだてん』の主人公でもあった、金栗四三が残した言葉として有名なのは「体力　氣力　努力」です。ＮＨＫのアーカイブスに、一九七八年に収録された肉声が残っていました。

「体力　気力　努力」が大事。からだばかり鍛えてもいけないし、頑張りばかりでもいけないし、いくら研究ばかりやってもからだと気力がないとできない。まあ、そういうことをですね、今も話しておりますね。若い諸君に

（『あの人に会いたい』ＮＨＫ映像ファイル＃56　ＮＨＫアーカイブス）

奇抜な言葉ではありませんが、これは、金栗から私たちへの「言葉の花束」だと思います。その言葉を語ったときの金栗の穏やかで温かい笑顔が、いつまでも心に残っています。金栗は日本初のオリンピック選手で、箱根駅伝の発案者でもあり、「日本マラソンの父」と言われた人物です。注目したいのは、女子がスポーツをするのは、はしたないといわれた時代に「女子スポーツの普及こそ、国じゅうを明るく健康にするものだ。オリンピックには女子の競技もある。これから大いに女性の体育を推しすすめていきたい」と女子のスポーツをすすめる活動を積極的にしたことです。

東京府女子高等師範で本格的なテニスの訓練をはじめ、日本初の女子テニス大会を開催。その後、十文字高等女学校でも五年ほど教えています。金栗はどんな教師で、女学生たちにどのような言葉を残したのでしょうか。ドラマのなかの金栗は、高圧的なところが少しもない先生で「ぱぱ」と慕われ、いつでも女学生たちの味方でした。

春に金栗のふるさと熊本県玉名郡和水町の生家を訪ねました。大河ドラマが生家で撮影されたのは、はじめてのことです。ひ弱だった金栗少年が往復十二キロを走って通学した、という野山を少しだけ歩いてみました。生家の後ろには「体力　氣力　努力」の石碑もありました。

私たちは若い世代にどのような言葉を贈ることができるのでしょうか。タイミングよく気の利いた言葉をかけることはおよそ不可能だと思ってしまいます。むしろ、失敗の連続で、あんなこと言わなければよかったと後悔することばかりです。しかし、「和顔愛語」という言葉のように、温かい笑顔と思いやりの心で懸命に努力する人を見守るのも、声のない「言葉の花束」なのではないかと、金栗の笑顔を思い出すようにしています。

聞き上手になりたい

コミュニケーションのなかで、だれもができそうで、実はむずしいのが「聞く」です。私は、常々「聞き上手」になりたいと思っています。しかし、時間に追われる仕事の癖なのか、相手の話を最後まで聞かずに、ついせかせかと言葉を挟んでしまいがちです。

江戸時代に生きた良寛の『戒語』のなかには、コミュニケーションについての戒めの言葉が残されています。それは、現代人にも思い当たることばかりです。なかでも「人のものいひきらぬうちにものいふ」という言葉を見つけたときには、良寛は何でもお見通しなのだと、はっとしました。

子どもと手まりやかくれんぼをして遊んだエピソードで知られる良寛は、全国に「良寛会」があるほど敬愛する人が多く、日本人の「心のふるさと」ともいわれています。

この里《さと》に手毬《てまり》つきつゝ子供《こども》らと遊《あそ》ぶ春日《はるひ》はくれずともよし

（『良寛全集』下巻　東京創元社　一九五九年）

良寛の作品には子どものような無垢な人柄と、人間や自然への温かいまなざしが溢れています。そして、良寛は寺の住職ではなく、生涯を通して托鉢行脚の乞食僧《こつじきそう》として過ごしました。清貧生活のなかで、その人柄を慕い、庵を訪ねる人は絶えませんでした。そうした人々に対して良寛はいっさいお説教をしなかったということです。やさしい雰囲気で話を聞いてくれる、現代でいえばカウンセラーか精神科医のような存在だったのではないかと、私は想像しています。

そして、生涯に五〇〇の漢詩と一四〇〇の和歌、多くの俳句や書を残しました。説教はしなかった良寛ですが、言葉に関しては自分にも弟子にも厳しかったと伝えられています。

二〇一八年に、生誕二六〇年記念の「心のふるさと良寛展」が東京文京区の永青文庫でおこなわれ、ひょうひょうとした姿を描いた自画像や自筆の『戒語《かいご》』を見ることができました。細い筆で書かれたやわらかい書です。その日の展示にあった『戒語』の一部です。

ものいひのはてしなき
くちのはやき
ことばのおほき
人をみくびりてものいふ
人にきずつくる事をいふ
人のものいひきらぬうちにものいふ
はらたちて人にことはりいふ

（『季刊　永青文庫　一〇二号』二〇一八春号）

人と接するとき、相手を思いやるやさしさをもって、心を込めた言葉を使うことで平安がもたらされる。良寛は、コミュニケーションの力を信ずる平和主義者であったことがわかります。良寛は、自分への戒めの言葉として、この「戒語」を書いて庵の鴨居などに貼り付けていたということです。また、弟子や知り合いから求められると書写して渡したため、さまざまな種類の『戒語』が残っています。なかには鋭い批判精神が感じられ耳の痛いところもありますが、もう少し引用してみましょう。

一　てがらばなし
一　じまんばなし
一　よくしらぬ事をはゞかりなくいふ
一　さとりくさきはなし
一　学者くさきはなし
一　茶人くさきはなし
一　風雅くさきはなし
一　さしてもなき事をろんずる
一　ふしもなき事にふしをたつる
一　あくびとともにねん仏
一　はなであしらふ

（『良寛全集』下巻　東京創元社　一九五九年）

この『戒語』は弟子の貞心尼《ていしんに》によって残されたものです。良寛は七十歳のときに、四十歳年下の貞心尼と出会い、仏道や和歌の指導をしました。貞心尼がまとめた『蓮《はちす》の露《つゆ》』には、二人の唱和した和歌や『戒語』が収められています。亡くなる少しまえに、病状がよくないことを聞いてかけつけた貞心尼を見るなり、良寛が詠んだのはこの和歌です。

いつ〳〵と待《ま》ちにし人《ひと》は来《き》たりけり今《いま》はあひ見て何《なに》か思《おも》はむ

そして、親しい知人や友人たちに「この世の形見に」と書いたのが次の歌です。

形見《かたみ》とてなに残《のこ》すらむ春《はる》は花《はな》夏《なつ》ほとゝぎす秋《あき》はもみぢ葉《ば》

良寛は生涯思いやりの心と温かいまなざしで、人と自然に関わり、七十四歳で亡くなりました。

二、歌の治癒力

健康番組で大学病院の「物忘れ外来」でおこなわれている音楽療法を紹介したことがあります。認知症の患者と家族が、音楽療法士の電子ピアノにあわせて唱歌や童謡を歌い、その思い出を語りあう治療法です。かなり認知機能の衰えている患者さんもご家族とともに伴奏に合わせて歌います。『シャボン玉』『みかんの花咲く丘』など、なつかしい歌を声に出して歌っているうちにさまざまな記憶がよみがえってきます。みなさん歌詞をとても正確に覚えています。そして、音楽療法士のやさしい笑顔と傾聴力に導かれて、その曲にまつわるエピソードをいきいきと語る姿に驚きました。どなたも魅力的な話しぶりで、話しているのが、患者さんなのかご家族なのかまったくわかりません。なごやかな雰囲気で笑い声も聞こえてきます。音楽療法は患者にとっても、ストレスのたまりがちな家族にとっても効果的な治療法で、このところ多くの病院や施設でおこなわれています。歌うことにはふしぎな治癒力があるようです。

大正九年生まれの両親の最晩年のひとときは、娘として傍らで歌うことしかできませんでした。両親は長野の出身なので、からだをさすりながら『小諸なる古城のほとり』『信濃の国』や、子どものころ家族で歌っていた『故郷を離るる歌』『早春賦』などを歌うと、少しは表情がよいように思いました。兄たちにも「お見舞いに行ったら歌ってあげてね」と頼んだのですが、男性が弱っている両親をまえに歌うのは辛いようでした。だれでも、子どものころ親しんだ歌は、決して忘れないものなのでしょう。

『故郷《ふるさと》』の力

毎年上野でおこなわれる「東京・春・音楽祭」のプログラムの一つ「にほんのうた」の司会と朗読を数年連続で担当しました。場所は上野公園内の旧東京音楽学校奏楽堂です。日本で最初に建てられた本格的な西洋式音楽ホールで重要文化財にもなっています。日本最古の演奏用パイプオルガンやシャンデリアもうつくしく明治の香りが漂います。かつて瀧廉太郎がピアノを弾き、山田耕筰が歌曲を歌った由緒ある舞台に唱歌や童謡が豊かに響きます。二〇一一年三月は、最後に会場のみなさんと『故郷《ふるさと》』を歌い、胸がいっぱいになりながら、募金箱を持ってロビーに立ちました。『故郷』はどの世代でも歌える、しみじみと心にしみる歌です。いわば私たち日本人の第二の国歌といえるかもしれません。

またオペラシティーのコンサートホールで行われる「クラシックエイド」という復興支援コンサートでも、最後は会場のみなさんと出演者全員で『故郷』を歌います。「クラシックエイド」は震災の直後に、音楽家たちの熱い思いでスタートしたチャリティコンサートです。

私は第四回から司会と朗読を担当し、今年は第一〇回を迎えます。この日は日本を代表するヴァイオリニストやピアニスト、声楽家、そして東北の被災地の高校から合唱団のみなさんも集まります。

ある年のリハーサルで、出演者の方々が歌詞カードを持って舞台に登場すると、「炎のマエストロ」として知られる指揮者の小林研一郎さんが、音楽家として全員歌詞は覚えなければとおっしゃいます。楽器の演奏家たちは日ごろあんなにむずかしい長い曲を暗譜しているのに、歌詞を覚えるのは意外にむずかしいようです。別の脳の働きなのでしょうか。実は私も歌詞を正確に覚えるのは苦手なのですが、それ以来『故郷』を毎年覚え直し、三番まで丁寧に歌うようにしています。作詞は高野辰之、作曲は岡野貞一です。改めて歌詞を見てみると本当にすばらしい内容です。

故郷

文部省唱歌

一　兎《うさぎ》追《お》いしかの山《やま》、
小鮒《こぶな》釣《つ》りしかの川《かわ》、
夢《ゆめ》は今《いま》もめぐりて、
忘《わす》れがたき故郷《ふるさと》。

二　如何《いか》にいます父母《ちちはは》、
恙《つつが》なしや友《とも》がき、
雨《あめ》に風《かぜ》につけても、
思《おも》いいずる故郷《ふるさと》。

三　こころざしをはたして、
いつの日《ひ》にか帰《かえ》らん、
山《やま》はあおき故郷《ふるさと》。
水《みず》は清《きよ》き故郷《ふるさと》。

（『尋常小学唱歌（六）』一九一四年　『日本唱歌集』岩波クラシックス18）

唱歌にある日本の原風景

小学生だった子どもたちを連れて、夏休みに長野県の高野辰之記念館を訪ねたことがあります。記念館は、国文学者の高野辰之が学んだ尋常小学校の跡地に建てられています。置かれたオルガンはだれでも演奏することができます。高野辰之の国文学者としての功績や作詞をした唱歌の楽譜などを見たあと、生家や『朧月夜』の鐘のある寺なども訪れました。

まわりは、なだらかな山に囲まれ、のどかな田園風景が広がっています。暑い日中はお昼寝タイムでしょうか。棚田や畑に出ている人も少なくひっそりと静かな村でした。この畑と青々とした田、そして里山の風景こそ日本の原風景だと思いながら、満ち足りた気持ちで帰ってきました。もっとも、子どもたちにとって忘れられない思い出は、飯山線替佐駅の親切な駅長さんがクーラーの効いた駅長室に入れてくれて、一緒に高校野球の中継を見たことのようです。一時間に一本という帰りの飯山線を待っている私たちが、よほど暑そうだったのでしょう。

よい歌は、まず歌詞を縦書きにして朗読すると、詩の内容をより深く理解することができます。そして、味わいながら歌うことができます。また、何となく好きで口ずさんでいた歌は、朗読してみると新たな発見があり、なぜその歌が好きだったのかわかることもあります。

三、おいしい朗読

作家にはなぜか甘党の人が多いようです。朝から机に向かって原稿を書いている孤独な毎日のなかで、おいしいお菓子で一服入れるのが気分転換になるのでしょうか。脳が甘いものを求めるのでしょうか。残した文章には、作家の食への探求心と執着ぶりがうかがわれ、読んでいるとその甘味を一度味わってみたいという気になります。

芥川龍之介の喜作最中

『蜘蛛の糸』『鼻』『羅生門』などの名作を残した芥川龍之介は、一八九二年（明治二五年）東京の京橋に生まれました。甘党で知られる芥川が好んだのは、上野「うさぎや」の喜作最中です。主人の谷口喜作は、俳人としても活躍した趣味人で、多くの文化人と交流を持っていたそうです。芥川が鎌倉の平野屋に逗留していたときには、お菓子を送ってほしいと谷口に手紙を書いています。「冠省鎌倉に來てうまいお菓子なく困り居り候間お手製のお菓子お送り下され度願上候」とあり、「横カラ見タ所」「割つた所」「風味あり」など、絵入りで要望まで書き添えています。まわりが牛皮でなかは餡の和菓子と、まんなかに胡桃のついたお菓子を二折、それに喜作最中を家族が食べる分だけ送ってほしいとのことです。ずいぶんたくさんだと思うのですが、別の日に谷口に送った礼状には、「小生目下胃腸を害し居る為あの一口最中も一度に三つしか食べられず太だ残念ですが如何とも致されません」とあり、かなりの甘党であったことがわかります。

冠省鎌倉に来てうまいお菓子なく困り居り候間お手製のお菓子お送り下され度願上候お菓子は

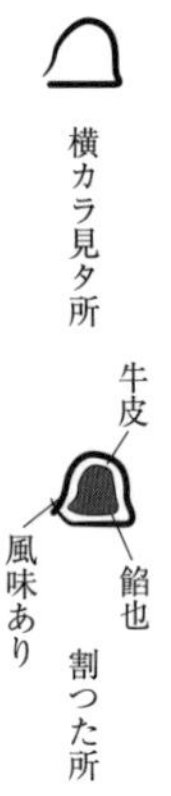

とまん中に胡桃のついてゐるお菓子になされ度これを二折にて五圓におこしらへ下され度候なほその外に最中我々の食べる分だけよろしく御見つくろひおん送り下され度候なほお金は勝手ながら歸京の節差上ぐ可く候間送り狀御封入下され度願上候右當用のみ　頓首

八月十三日

芥川龍之介

芥川がこれほどまでに恋焦がれた喜作最中を食べてみたい、と上野の「うさぎや」を学生と訪ねました。求肥《ぎゅうひ》（牛皮）でくるんだ風味のよいお菓子はありませんでしたが、看板商品

の喜作最中をおいしくいただきました。うすい皮にこしあんの上品な甘さです。伝統は今も守られています。

一九一四年（大正三年）、東京帝国大学の学生だった芥川は一家で田端に転入しました。その後、室生犀星、菊池寛、堀辰雄、萩原朔太郎、土屋文明なども移り住み、大正から昭和の初期にかけての田端は「文士村」となっていきます。現在のＪＲ田端駅まえ「田端文士村記念館」には、芥川が養父母や妻子と暮らした家を三十分の一に復元した模型が展示されています。敷地面積が約一九三坪の大きな二階家で、庭木も立派です。この模型のなかで、小さな芥川の人形は木の上にいます。実は、これは記録フィルムをもとにしたものです。一九二七年（昭和二年）に没した芥川が、その二か月まえ、家族と庭で戯れ木登りしていた姿が映像に残っています。

書簡集のなかには、結婚まえの文子宛てのラブレターも多くありました。その文面にも、お菓子が出てきます。

この頃ボクは文ちやんがお菓子なら頭から食べてしまひたい位可愛い氣がします　嘘ぢやありません　文ちやんがボクを愛してくれるよりか二倍も三倍もボクの方が愛してゐるやうな氣がします　何よりも早く一しよになつて仲よく暮しませう　さうしてそれを樂しみに力強く生きませう

最後は自ら命を絶った芥川龍之介ですが、手紙のなかでは素直な食いしん坊で、愛妻家だったのがわかります。

向田邦子の水羊羹

脚本家・作家として活躍し、五十一歳の若さで惜しまれつつ亡くなった向田邦子は『父の詫び状』をはじめ、随筆でも人気があります。向田作品を朗読してほしいというリクエストで『ことばのお洒落』『字のない葉書』などを舞台で読んだことがあります。脚本家だからなのか、どの作品も無理のない話すような自然な息づかいで読めます。お洒落で、ひねりとユーモアがある文章を朗読すると、忙しくても心にゆとりのある、豊かな暮らしがしたいものだと思います。

向田邦子のおいしいものへのこだわりはよく知られています。取り寄せたい名物の包装紙やしおりを「う」の引き出しに入れ、料理好きが高じて小料理屋「ままや」を開くほどでした。ぜひ一度行ってみたいと思っているうちに「ままや」は閉店してしまいました。私は、料理本『向田邦子の手料理』（講談社一九八九年）でその味を想像しながら作ってみています。

おすすめの「うまいもの」のなかでも、水羊羹の姿と味には、とくにこだわっていました。自ら水羊羹評論家と名乗っていたくらいです。エッセイ『水羊羹』より一部を引用します。

おいしいものを描いた作品は、そのおいしさが伝わるように朗読したいと思います。

水羊羹の命は切口と角であります。

宮本武蔵か眠狂四郎が、スパッと水を切ったらこうもなろうかというような鋭い切口と、それこそ手の切れそうなとがった角がなくては、水羊羹といえないのです。

水羊羹は、桜の葉っぱの座ぶとんを敷いていますが、うす緑とうす墨色の取合せや、ほのかにうつる桜の匂いなどの効用のほかに、水羊羹を器に移すときのことも考えられているのです。つまり、下の桜のおザブを引っぱって移動させれば、水羊羹が崩れなくてもすむという、昔ながらの「おもんばかり」があるのです。

（『向田邦子全集』第一巻　文藝春秋　一九八七年）

さらに、水羊羹を楽しむには、「心を静めて、香りの高い新茶を丁寧に入れ」「すだれ越しの自然光か、せめて昔風の、少し黄色っぽい電灯の下で味わいたい」「クーラーよりも、窓をあけて、自然の空気、自然の風の中で」と細部にまで向田邦子の美意識が感じられます。文章はこう終わっています。

水羊羹が一年中あればいいという人もいますが、私はそうは思いません。水羊羹は冷し中華やアイスクリームとは違います。新茶の出るころから店にならび、うちわを仕舞う頃にはひっそりと姿を消す、その短い命がいいのです。

その向田邦子のお気に入りは、東京青山の「菊屋」の水羊羹でした。

水羊羹は気易くて人なつこいお菓子です。どこのお菓子屋さんにでも並んでいます。そのくせ、本当においしいのには、なかなかめぐり逢わないものです。

私は、今のところ、「菊屋」のが気に入っています。青山の紀ノ国屋から六本木の方へ歩いて三分ほど。右手の柳の木のある前の、小づくりな家です。

青山の「菓匠菊屋」は現在も同じ場所にあります。近所に住んでいた向田邦子は、徹夜続きでアイデアが煮詰まると、財布を片手にふらりと立ち寄り、女将との他愛ないおしゃべりも楽しんだそうです。水羊羹を購入した日は、角が崩れないように気をつけながら、まっすぐに家路についたことでしょう。私も青山へ行ったときは、「菊屋」で季節の和菓子を少しだけ買うのを楽しみにしています。しかし、私の場合は、地下鉄を乗り継いでやっと家についたときには、角はかならず崩れていて、何だか申し訳ないような気持ちになります。

樹木希林さんのみごとな朗読

先輩に誘われて、向田邦子の生誕八十年を記念する朗読会に行きました。向田邦子脚本のドラマに出演していた俳優や女優のみなさんによる朗読で、一日限りの贅沢な公演です。この日の朗読で特別に印象に残ったのは、亡くなった樹木希林さんの朗読でした。朗読した作品は『有眠』です。作家には不眠症の人が多いといいますが、向田邦子はどこでも眠くなってしまうのが悩みの種だったようです。エッセイは、そうした失敗談ではじまります。

旅行先のホテルでバスタブに入ったまま熟睡し、お湯が水になり寒くなって起きたこと。洗面所で小物を洗っていて両手を洗濯ものに漬けたまま居眠りをし、おでこが水道の蛇口にゴツンとぶつかって目がさめ、小さなコブができたこと。テレビの番組を二つかけ持ちをしていたところ、打ち合わせの会議中にストンと寝てしまい、別のテレビ局のドラマの話をはじめてしまったこと、などなどです。

それらのエピソードが、樹木希林さんの軽妙でテンポのよい口調で語られていきます。はじめは客席の聴衆もくすくすと笑いをこらえていましたが、途中からみなさん声を出して笑ってしまいました。最後に、「私はおしゃべりな人間で、ひとつの言葉を選ぶことが出来ないので俳句はつくれないが、もし将来、何かの間違いで句作をすることになったら、俳号はもう決めてある」と言って驚くほどの「間」があり、樹木希林さんが吹き出しながら「有眠《ゆうみん》である。」と言って朗読が終わりました。聴衆はだれもが、樹木希林さんではなく、向田邦子自身が吹き出しながらそう言っているように感じたと思います。

向田作品が樹木希林さんのからだを通り、音になってそこにあると言ったらよいでしょうか。真似のできないみごとな朗読でした。朗読には心を奪われる朗読と、心が癒される朗読があるのではないかと思います。これはまさに、心を奪われる朗読でした。

世界で活躍している河瀬直美監督や是枝裕和監督の映画作品で、樹木希林さんは常に重要な役割を演じてきました。どの作品のなかでも、役を演じているというよりも、あまりにも自然にそこに存在しています。樹木希林さんであることをすっかりやめ、無の状態で作中の人物になっているかのように感じるのです。

この日の肩の力が抜けた自然体の朗読は、事前の準備はまったくしていないように見えて、実は非常によく読み込んでいらしたのがわかります。だれよりも時間とエネルギーをかけ、納得いくまで作品と向き合って、すべての言葉を自分のものにして舞台に立たれたからこそ、客席の私たちはそこに樹木希林さんではなく作者の向田邦子がいるように感じたのだと思います。

作家たちはなぜ甘党なのか

作家たちの食に対する情熱と探求心、表現の豊かさには脱帽します。おいしいものへのこだわりや美意識は相当なものです。芥川龍之介も、向田邦子も、あの夏目漱石も大の甘党でした。『吾輩は猫である』のなかには、ジャムという言葉が十二回も出てきます。このジャムは高価な輸入品で、一か月に八缶のジャムが家計を苦しめると細君がぼやく場面があります。また、胃病で医師にかかり、大根おろしを食べながらジャムをなめているという話や、猫がジャムの空き缶をたおし深夜にただならぬ物音をたてたエピソードもありました。

漱石は、お萩・洋菓子・あんころ・チョコレート・落花生を砂糖でかためた駄菓子なども好み、アイスクリーム製造機が自宅にあったほどの甘党でした。酒の飲めない漱石は妻に隠れて甘い菓子を食べ、最後の言葉は「何か喰いたい」だったといわれています。

作家はなぜか甘いものが好きなのか、その答えはまだ見つかっていません。作家の島田雅彦さんは「人は言語を持っているし、イマジネーションを持っている。食べなくても食べた気になれる。実際に食べればもっとハッピーになる。本を読むことは、二段構えで食に向かい合っている」（二〇〇六年三月二九日朝日新聞）と述べています。私は、さらにそのおいしい作品を声に出して読めば、三段構えで食に向かい合えると思うのです。聞いている人も食べた気になるような、わくわくおいしそうな朗読ができたらと思っています。食もまた、私たちの大事な文化なのですから。

食べることは生きること

先日、九十四歳で亡くなった料理研究家、城戸崎愛さんの追悼番組の朗読を担当しました。城戸崎さんは、若いころから結核、子宮がん、糖尿病を患いながらも、いつも前向きな明るさで、おいしく食べることの大切さを伝え続けました。私は、二十五年まえに『きょうの料理』で丁寧に作る「五目なます」を教えていただきました。数々のなつかしい映像とともに紹介したのは、九十一歳のときに書かれた文章です。

大正14年、昭和が始まる前の年に生まれたわたしは、あのいまわしい戦争も戦後の食糧難も、めざましい復興も、不況も、バブルもその後の平成も、ずっと生き抜いてまいりました。

そんなわたしがいちばんたいせつに思っていること、それが食です。

「食べることは、生きること」

わたしの命をつないでくれた、思い出深い料理の数々。どれも、ぜひ一度は作っていただきたい、わたしがいちばん大事にしているレシピです。

（『食は生きる力　91歳、現役料理家の命のレシピ』マガジンハウス　二〇一六年）

朗読は淡々と読むナレーションとは異なります。「ラブおばさん」として、だれからも慕われていた城戸崎愛さん。あの明るい笑顔やお声を思い出しながら、一つ一つの言葉が力をもって立ちあがってほしいと、家で何度も読み込みました。収録スタジオでもディレクター陣の意見を取り入れながら、声のトーンや「間」、緩急などあれこれ工夫し、笑顔で収録が終わったあとは、無性に料理がしたくなりました。

食べることは生きること――このメッセージが、いつまでも心に残っています。

おわりに

アナウンサーには二つのタイプがあります。「読み」の得意なアナウンサーと「インタビュー」の得意なアナウンサーです。私はどちらにもあまり自信が持てないまま、めぐり逢えた仕事にひたすら真剣に取り組んできたつもりです。準備をしないと不安でしかたがないので、時間の許す限り下調べと読み込みをします。その結果、「読み」や「朗読」の奥深さに気づき、知らなかった世界のことにも興味や関心を持てるようになりました。

どこの国にもどの地方にも、古くから伝えられてきた声の文化があります。作品を朗読することによって、私たちは文学や歴史、音楽や美術、食などさまざまな文化を体験することができます。朗読そのものが声の文化と言えるでしょう。声の文化としての朗読に焦点を当てて、朗読の魅力をお伝えしたいと、この本を書きました。

自分の日々の生活を振り返ってみると、暮しのなかに朗読があってよかったと思うことがあります。それは、どうも気分がすぐれないときや、心配事があるときです。頭も重く元気の出ない日こそ「いやいや、こうはしていられない」と自分を奮い立たせて朗読の練習をします。繰り返し読んでいるうちに、自分でも乗ってくるのがわかります。お腹から声を出す朗読は、頭やからだを起き上がらせてくれる効果があるようです。

　さて、私は何ごとも体験しないと気がすまない性分です。自分でも、さまざまな所へ出かけているものだと改めて思います。声の文化や朗読に関連すると思うと、居ても立ってもいられず現地へ行って納得し、感銘をうけ、すると新たな疑問もわいてきます。ときには準備不足で肝心なことを見逃し、帰ってから悔しく思うこともあります。しかし、実際に足を運ぶと、かならず自分だけのドラマと感動があります。

　俳句の番組を担当していたときに驚いたのは、俳人の方々が若々しくはつらつとしていることでした。句作のために感性を磨き、言葉を探し、句会で声を出し、吟行で全国を歩き、人と関わることが健康長寿に結びついているのだと思います。

　同じように朗読も、作品をどのように解釈したらよいかと頭をひねり、朗読するためのテキストを初版本（復刻本）や全集からさがし、作品の息づかいを知るために作家や時代背景についても調べ、仲間と声を出して作品を味わい、ゆかりの土地を訪ね、さらに声の文化である古典芸能や現代のエンターテインメントを鑑賞することは、どれもかならず健康長寿に結びつくはずです。

　表紙とイラストは、高校時代からの親友で絵織物作家の口丸弘子さんの作品です。日々のよいことも大変なこともユーモアで包んで、作品を作り続けている姿に励まされます。好きなことで自分を表現できるのは幸せなことです。人間は夢中になることがあって、そこに感動があるといつまでも若々しく元気でいられるといいます。私の朗読をめぐる旅に最後までお付き合いくださりありがとうございました。

引用・参考文献

芥川龍之介『芥川龍之介全集』第十一巻　岩波書店　一九七八年

阿部なを『みそ汁に はこべ浮かべて……』主婦の友社　一九九二年

嵐山光三郎『文人悪食《ぶんじんあくじき》』新潮文庫　二〇〇〇年

アンネ・フランク著　オランダ国立戦時資料研究所編集　深町眞理子訳『アンネの日記—研究版』文芸春秋　一九九四年

池田雅之『一〇〇分ｄｅ名著　日本の面影』ＮＨＫ出版、二〇一五年

石黒圭『論文・レポートの基本』日本実業出版社　二〇一二年

小川洋子『一〇〇分ｄｅ名著　アンネの日記』ＮＨＫ出版　二〇一四年

小澤俊夫編著『昔話入門』ぎょうせい　一九九七年

おざわとしお再話『日本の昔話』第四巻　福音館書店　一九九五年

ガー・レイノルズ『プレゼンテーションＺｅｎ第二版』丸善出版、二〇一四年

金子みすゞ『美しい町　新装版　金子みすゞ全集・Ⅰ』ＪＵＬＡ出版局　一九八四年

金子みすゞ『空のかあさま　新装版　金子みすゞ全集・Ⅱ』ＪＵＬＡ出版局　一九八四年

川端康成『川端康成全集』第三十二巻　新潮社　一九八二年

城戸崎愛『食は生きる力　91歳、現役料理家の命のレシピ』マガジンハウス　二〇一六年

小泉八雲記念館編集『小泉八雲、開かれた精神《オープンマインド》の航跡』小泉八雲記念館　二〇一六年

公益財団法人永青文庫『季刊　永青文庫　一〇二号』二〇一八年

斎藤喜博作詞　近藤幹雄作曲　合唱曲集『子どもの四季』一茎書房　一九七九年

斎藤英喜編『神話・伝承学への招待』思文閣出版　二〇一五年

塩田雄大・東美奈子「ＮＨＫアクセント辞典〝新辞典〟への大改訂⑩　鼻濁音の位置づけと現況～「もも組《ぐみ》」と「ももグミ」」『放送研究と調査』二〇一七年四月号　放送文化研究所　ＮＨＫ出版

荘子『荘子』第一冊　内編　岩波文庫　一九七一年
太宰治『女生徒』砂子屋書房　一九三九年（名著初版本複刻　太宰治文学館　日本近代文学館　一九九二年）
ティモシー・J・バンス　金子恵美子　渡邊靖史編『連濁の研究― 国立国語研究所プロジェクト論文選集』開拓社
　二〇一七年
谷川俊太郎『二十億光年の孤獨』創元社　一九五二年
谷川俊太郎『ことばあそびうた』福音館書店　一九七三年
東郷豊治編著『良寛全集』下巻　東京創元社　一九五九年
中川李枝子『こどもはみんな問題児。』新潮社　二〇一五年
中川素子・吉田新一・石井光恵・佐藤博一編『絵本の事典』朝倉書店　二〇一一年
中島国彦『漱石の地図帳― 歩く・見る・読む』大修館書店　二〇一八年
永瀬清子『あけがたにくる人よ』思潮社　一九八七年
夏目漱石『定本　漱石全集』第一巻　岩波書店　二〇一六年
夏目漱石『定本　漱石全集』第二巻　岩波書店　二〇一七年
夏目房之介「百年の時を超えて、祖父・漱石に会う」『夏目漱石と明治日本』文藝春秋　特別版十二月臨時増刊　二〇〇四年
原良枝『声の文化史』成文堂　二〇一六年
樋口一葉『真筆版　たけくらべ』博文館　一九一八年（名著複刻全集　日本近代文学館　一九六八年）
樋口一葉『樋口一葉全集』第一巻　筑摩書房　一九七四年
福澤諭吉「學問のすすめ」『現代日本文學全集51』筑摩書房　一九五八年
堀内敬三・井上武士編『日本唱歌集』岩波クラシックス⑱　岩波書店　一九八二年
松尾芭蕉『新編　古典文学全集　松尾芭蕉集②』小学館　一九九七年
丸谷才一・大岡信・井上ひさし・高橋治『とくとく歌仙』文藝春秋　一九九一年
三浦しをん『愛なき世界』中央公論新社　二〇一八年
宮澤賢治『校本　宮沢賢治全集』第十巻　筑摩書房　一九七四年

宮澤賢治『校本　宮沢賢治全集』第十一巻　筑摩書房　一九七四年
向田邦子『向田邦子全集』第一巻・第二巻　文藝春秋　一九八七年
森鷗外「朗読法につきての争」『鷗外全集』第二十二巻　岩波書店　一九八八年
結城俊也・好本恵『認知症予防におすすめ図書館利用術2～読書・朗読は脳のトレーニング』日外アソシエーツ　二〇一八年
与謝野晶子『みだれ髪』東京新詩社　一九〇一年（名著複刻全集　日本近代文学館　一九六八年）
與謝野晶子「そぞろごと」『青鞜』一巻一號　青鞜社　一九一一年（復刻版　不二出版　一九八三年）
与謝野晶子『定本　與謝野晶子全集』第二巻　講談社　一九八〇年
与謝野晶子『定本　與謝野晶子全集』第三巻　講談社　一九八〇年
与謝野晶子『定本　與謝野晶子全集』第十二巻　講談社　一九八一年
ラフカディオ・ハーン著　池田雅之訳『新編　日本の面影』角川ソフィア文庫　角川学芸出版　二〇〇〇年
ラフカディオ・ハーン著　池田雅之訳『新編日本の面影Ⅱ』角川ソフィア文庫　ＫＡＤＯＫＡＷＡ　二〇一五年

金田一春彦監修・秋永一枝編『新明解日本語アクセント辞典ＣＤ付き』三省堂　二〇一〇年
ことばの杜『「ことば」を育てる―教科書に載った名作』日外アソシエーツ　二〇一一年
ＮＨＫ放送文化研究所編『ＮＨＫ日本語発音アクセント新辞典』ＮＨＫ出版　二〇一六年
ＮＨＫアナウンス・セミナー編集委員会編『新版ＮＨＫアナウンス・セミナー』日本放送出版協会　二〇〇五年
ＮＨＫＤＶＤ教材『ＤＶＤ映像セレクション　家庭基礎・家庭総合　子どもの発達と保育　第四巻　子どもとかかわって生きる』ＮＨＫエンタープライズ　二〇一六年
昔ばなし研究所『遠野の昔語り　現代の昔語り』日本記録映画研究所　一九九五年

国立国語研究所『ことば研究館』「早口言葉はなぜ難しいのですか」川端良子
二〇一九年七月二日
https://kotobaken.jp/qa/yokuaru/qa-81/
国立国語研究所『ことば研究館』「国語研教授が語る「濁る音の謎」（二）連濁」
ティモシー・J・バンス　（二〇一六年五月一一日）
https://kotobaken.jp/movies/others/mv008/
文部科学省ホームページ『CLARINETへようこそ』「補習授業教師のためのワンポイントアドバイス集」七　音読・
朗読　（二〇二〇年二月一日参照）
https://www.mext.go.jp/a_menu/shotou/clarinet/002/003/002/007.htm
国文学研究資料館　近代書誌・近代画像データベース
坪内逍遙「讀法を興さんとする趣意」『小羊漫言』所収　有斐閣書房　一八九三年
（二〇二〇年二月一日参照）
http://school.nijl.ac.jp/kindai/CKMR/CKMR-00310.html#66

著者略歴

好本 惠（よしもと・めぐみ）

元NHKアナウンサー。十文字学園女子大学文芸文化学科教授。NHK文化センター講師。「きょうの料理」「すくすく赤ちゃん」「NHK俳壇」「TVシンポジウム」「100分de名著」などを担当する。健康をテーマにしたシンポジウム、式典やコンサートなどの司会、ナレーターを務めることも多い。著書に『話しことばの花束』（リヨン社・2007年）、共著に『認知症予防におすすめ図書館利用術2 —読書・朗読は脳のトレーニング』（日外アソシエーツ・2018年）などがある。

声の文化を楽しむ
—朗読のすすめ

2020年6月25日　第1刷発行

著　　者／好本惠
発 行 者／大高利夫
発　　行／日外アソシエーツ株式会社
〒140-0013 東京都品川区南大井6-16-16 鈴中ビル大森アネックス
電話 (03)3763-5241（代表） FAX(03)3764-0845
URL http://www.nichigai.co.jp/
発 売 元／株式会社紀伊國屋書店
〒163-8636 東京都新宿区新宿 3-17-7
電話 (03)3354-0131（代表）
ホールセール部（営業）電話 (03)6910-0519

印刷・製本／光写真印刷株式会社

《中性紙三菱クリームエレガ使用》

ISBN978-4-8169-2836-9　　***Printed in Japan,2020***